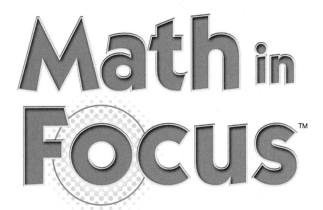

# Math in Focus™

## Matemáticas de Singapur de **Marshall Cavendish**

## Libro del estudiante

**Consultor y autor**
Dr. Fong Ho Kheong

**Autores**
Chelvi Ramakrishnan y Michelle Choo

**Consultores en Estados Unidos**
Dr. Richard Bisk, Andy Clark,
y Patsy F. Kanter

**Marshall Cavendish**
Education

HOUGHTON
MIFFLIN
HARCOURT

**Published by Marshall Cavendish Education**
*An imprint of Marshall Cavendish International (Singapore) Private Limited*
Times Centre, 1 New Industrial Road, Singapore 536196
Customer Service Hotline: (65) 6411 0820
E-mail: tmesales@sg.marshallcavendish.com
Website: www.marshallcavendish.com/education

Distributed by
**Houghton Mifflin Harcourt**
222 Berkeley Street
Boston, MA 02116
Tel: 617-351-5000
Website: www.hmheducation.com/mathinfocus

English Edition first published 2009
Spanish Edition first published 2011

*Math in Focus*™ Grade 3 Student Book A
ISBN 978-0-547-58231-3

Printed in United States of America

1  2  3  4  5  6  7  8        1401        17  16  15  14  13  12  11
4500292887                              A  B  C  D  E

# Contenido

## 1 Los números hasta 10,000

Busca la **Práctica y Resolución de problemas**

| Libro del estudiante A y Libro del estudiante B | Cuaderno de actividades A y Cuaderno de actividades B |
|---|---|
| • **Practiquemos** en cada lección | • **Práctica independiente** para cada lección |
| • **¡Ponte la gorra de pensar!** en cada capítulo | • **¡Ponte la gorra de pensar!** en cada capítulo |

Busca **Oportunidades de evaluación**

| Libro del estudiante A y Libro del estudiante B | Cuaderno de actividades A y Cuaderno de actividades B |
|---|---|
| • **Repaso rápido** al comienzo de cada capítulo para evaluar la preparación para el capítulo | • **Repasos acumulativos** siete veces durante el año |
| • **Práctica con supervisión** después de uno o dos ejemplos para evaluar la preparación para continuar con la lección | • **Repaso semestral** y **Repaso de fin de año** para evaluar la preparación para la prueba |
| • **Repaso/Prueba del capítulo** en cada capítulo para repasar o evaluar el material del capítulo | |

# Cálculo mental y estimación

# Sumas hasta 10,000

# Restas hasta 10,000

# Modelos de barras: Suma y resta

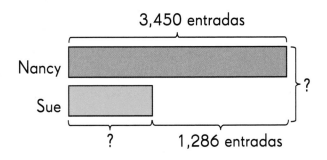

# 6 Tablas de multiplicación de 6, 7, 8 y 9

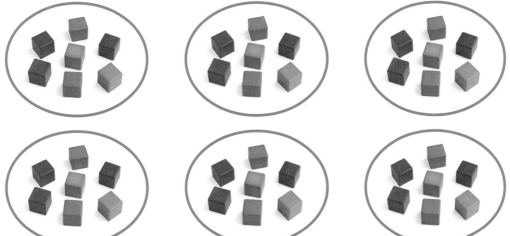

**Multiplicación**

# 8 División

# 9 Modelos de barras: Multiplicación y división

# Bienvenidos a

# Math in Focus™

Este fantástico programa de matemáticas llega desde el país de Singapur. Estamos seguros de que disfrutarás aprendiendo matemáticas con las interesantes lecciones que hallarás en estos libros.

## ¿Qué hace que *Math in Focus*™ sea un programa diferente?

▶ **Dos libros** Este libro viene con un **Cuaderno de actividades**. Cuando veas el ícono del lápiz, POR TU CUENTA, escribe en el **Cuaderno de actividades** en lugar de escribir en las ____ de este libro de texto.

▶ **Lecciones más extensas** Es posible que algunas lecciones tomen más de un día, para que puedas comprender completamente las matemáticas.

▶ **Las matemáticas tendrán sentido** Aprenderás a usar modelos de barras para resolver problemas con facilidad.

## En este libro, hallarás

| Aprende | Práctica con supervisión | Practiquemos | POR TU CUENTA |
|---|---|---|---|
| Significa que aprenderás algo nuevo. | En esta sección, tu maestro te ayudará a hacer ejemplos de varios problemas. | Aquí harás otros problemas para practicar lo que has aprendido. Así puedes estar seguro de que has comprendido. | Ahora puedes practicar con muchos problemas diferentes en tu propio **Cuaderno de actividades.** |

**¡También hallarás** *Juegos, Manos a la obra, Diarios de matemáticas, Exploremos* y *¡Ponte la gorra de pensar!*
Combinarás el razonamiento lógico con destrezas y conceptos de matemáticas para resolver problemas sin dificultad. Hablarás, pensarás, practicarás e, incluso, escribirás usando el lenguaje de las matemáticas.

# ¿Qué hay en el Cuaderno de actividades?

***Math in Focus*™** te da el tiempo necesario para aprender nuevos conceptos y destrezas de importancia y para comprobar tu comprensión. En el **Cuaderno de actividades** hallarás ejercicios para practicar como se indica a continuación.

▶ Resolverás problemas adicionales para practicar el nuevo concepto de matemáticas que estés aprendiendo. Presta atención a  en el libro de texto. Este símbolo te indicará qué páginas debes usar para practicar.

▶ *¡Ponte la gorra de pensar!*

   Los problemas de *Práctica avanzada* te enseñarán a pensar en otras maneras de resolver problemas más difíciles.

   En *Resolución de problemas* aprenderás a resolver problemas usando diferentes estrategias.

▶ En las actividades del *Diario de matemáticas* aprenderás a usar tu razonamiento y a describir tus ideas ¡por escrito!

Los estudiantes de Singapur han usado este programa de matemáticas por muchos años. Ahora tú también puedes hacerlo... ¿Estás listo?

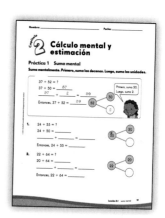

# Capítulo 1

# Los números hasta 10,000

El monte McKinley
en Alaska: 6,194 m

El pico Pikes en
Colorado: 4,301 m

El monte McKinley
es la montaña más
alta de los Estados
Unidos. Mide 6,194
metros de altura.

El monte Mitchell es el
pico más alto al este del
río Mississippi.

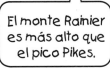

El monte Rainier
es más alto que
el pico Pikes.

El monte Rainier
en Washington: 4,392 m

El monte Mitchell en
Carolina del Norte: 2,037 m

**Lecciones**

**1.1** Contar

**1.2** Valor posicional

**1.3** Comparar y
ordenar números

## IDEA IMPORTANTE

▶ Cuenta y compara números
hasta 10,000.

1

# Recordar conocimientos previos

## Contar hacia adelante

- Cuenta hacia adelante de uno en uno: 124   125   126   127   128 ...
- Cuenta hacia adelante de diez en diez: 134   144   154   164   174 ...
- Cuenta hacia adelante de cien en cien: 124   224   324   424   524 ...

## Identificar el valor posicional

En 937,
- el dígito 9 está en el lugar de las centenas.
- el dígito 3 está en el lugar de las decenas.
- el dígito 7 está en el lugar de las unidades.
- Forma normal: 937
- En palabras: novecientos treinta y siete
- Forma desarrollada: 900 + 30 + 7

## Comparar números con una tabla de valor posicional

| | Centenas | Decenas | Unidades |
|---|---|---|---|
| 478 | 4 | 7 | 8 |
| 678 | 6 | 7 | 8 |

Compara las centenas.
400 es menor que 600.
Entonces, 478 es menor que 678.

Usa el signo < para representar *menor que*.
Entonces, 478 < 678.

678 es mayor que 478.
Usa el signo > para representar *mayor que*.
Entonces, 678 > 478.

## Usar el valor posicional para ordenar números

Ordena 385, 198 y 627 de menor a mayor.

|     | Centenas | Decenas | Unidades |
|-----|----------|---------|----------|
| 385 | 3        | 8       | 5        |
| 198 | 1        | 9       | 8        |
| 627 | 6        | 2       | 7        |

Compara las centenas.
627 es mayor que 385 y 198.
385 es mayor que 198.

Entonces, 627 es el mayor y 198, el menor.

Ordenados de menor a mayor:
198          385          627
el menor

## Contar hacia adelante y hacia atrás para hallar un patrón

Cuenta hacia adelante de 10 en 10 para hallar el número que es 10 más.

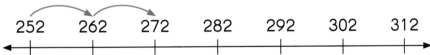

+10     +10

252    262    272    282    292    302    312

Cuenta hacia atrás de 100 en 100 para hallar el número que es 100 menos.

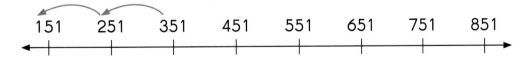

−100  −100

151    251    351    451    551    651    751    851

## Repaso rápido

**Cuenta de uno en uno, de diez en diez o de cien en cien.**

**1** 206  207  208 ▢ ▢    **2** 614  714  814 ▢ ▢

**Expresa 964 en forma normal, en palabras y en forma desarrollada.**

**3** forma normal ▢

**4** en palabras ▢

**5** forma desarrollada ▢

**Escribe el número o la palabra que falta.**

En el número 327,

**6** el dígito ▢ está en el lugar de las centenas.

**7** el dígito 2 está en el lugar de las ▢ .

**Compara los números.**

**8** ¿Cuál número es mayor: 99 ó 105? ▢

**9** ¿Cuál número es menor: 245 ó 708? ▢

**Compara. Escribe < o > .**

**10** 319 ▢ 400    **11** 97 ▢ 164

**Halla el número mayor y el menor.**
**Luego, ordena 582, 871 y 339 de mayor a menor.**

**12** ▢ ▢ ▢

**Completa cada patrón numérico.**

**13** 842  852  862 ▢  882 ▢

**14** 671  571  471 ▢ ▢  171

# Lección 1.1 Contar

## Objetivos de la lección

- Usar bloques de base diez para contar, leer y escribir números hasta 10,000.
- Contar de 1 en 1, de 10 en 10, de 100 en 100 y de 1,000 en 1,000 hasta 10,000.

**Vocabulario**
en palabras

forma normal

### Aprende

**Usa bloques de base diez para mostrar números.**

¿Cuántos 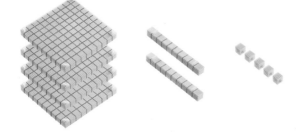 hay?

Hay cuatrocientos veinticinco ⬜.

Hay 425 ⬜.

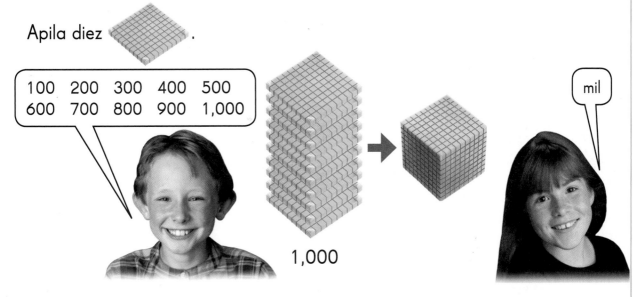

Apila diez ▦.

| 100 | 200 | 300 | 400 | 500 |
| 600 | 700 | 800 | 900 | 1,000 |

mil

1,000

10 centenas = 1,000

**Aprende**

## Expresa un número de diferentes formas.

¿Cuántos  hay?

 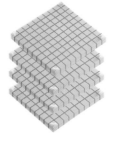

**En palabras**: dos mil cuatrocientos setenta y ocho
**Forma normal**: 2,478

## Práctica con supervisión
## Observa los bloques de base diez. ¿Cuántos  hay?

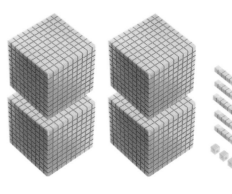

**1** Exprésalo en palabras.

**2** Exprésalo en forma normal.

### Expresa en palabras.

**3** 6,257

**4** 8,540

**5** 7,601

**6** 3,094

### Expresa en forma normal.

**7** ocho mil seiscientos veintinueve

**8** cuatro mil setecientos treinta

**9** cinco mil ochenta y cuatro

**10** siete mil diez

## Aprende

### Cuenta hasta diez mil.

¿Cuál número viene después de 9,999?

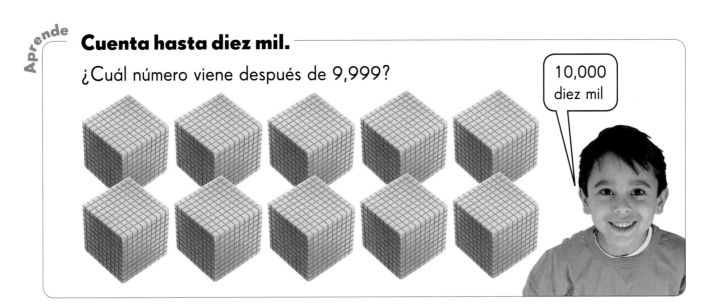

10,000
diez mil

## Aprende

### Cuenta hacia adelante de uno en uno.

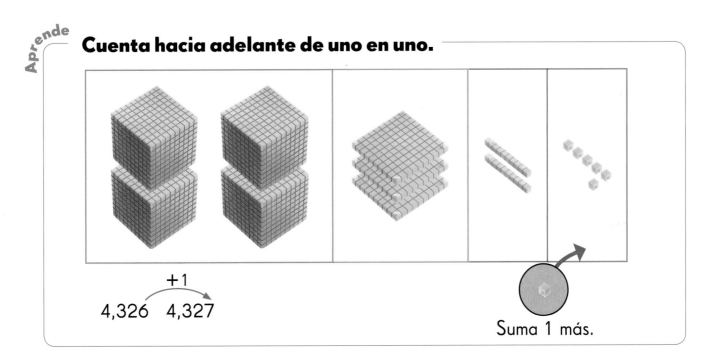

+1

4,326   4,327

Suma 1 más.

## Práctica con supervisión

**Escribe cada número que falta. Cuenta hacia adelante de uno en uno. Usa bloques de base diez como ayuda.**

**11** 1,342   1,343   1,344

**12** 7,085   7,086   7,087

**13** 3,497   3,498   3,499

**14** 9,994   9,995   9,996

## Cuenta hacia adelante de diez en diez.

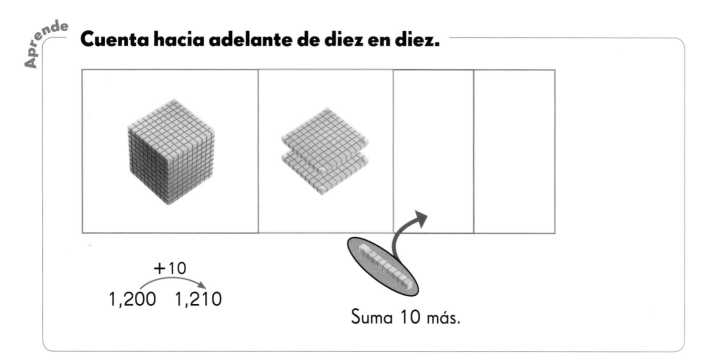

+10

1,200   1,210

Suma 10 más.

## Práctica con supervisión

**Escribe cada número que falta. Cuenta hacia adelante de diez en diez. Usa bloques de base diez como ayuda.**

**15** 3,840   3,850   3,860

**16** 6,161   6,171   6,181

## Cuenta hacia adelante de cien en cien.

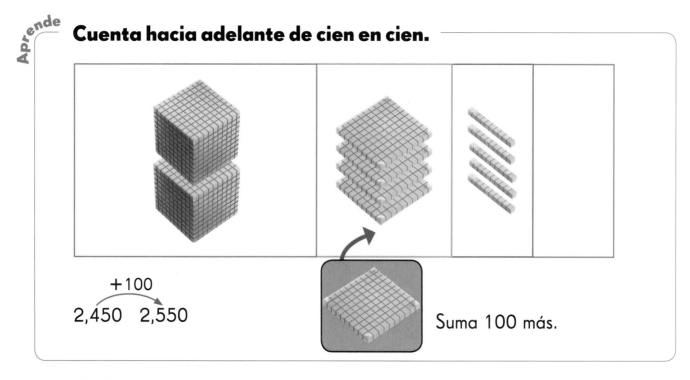

+100

2,450   2,550

Suma 100 más.

**Escribe cada número que falta. Cuenta hacia adelante de cien en cien. Usa bloques de base diez como ayuda.**

**17** 5,345  5,445  5,545  [ ]  [ ]  [ ]

**18** 8,670  8,770  8,870  [ ]  [ ]  [ ]

*Aprende*

## Cuenta hacia adelante de mil en mil.

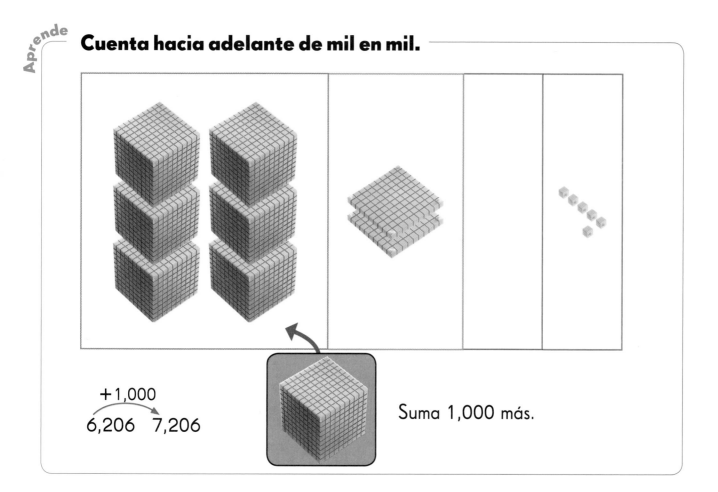

+1,000

6,206  7,206

Suma 1,000 más.

## Práctica con supervisión

**Escribe cada número que falta. Cuenta hacia adelante de mil en mil. Usa bloques de base diez como ayuda.**

**19** 4,792  5,792  6,792  [ ]  [ ]  [ ]

**20** 287  1,287  2,287  [ ]  [ ]  [ ]

**21** 90  1,090  2,090  [ ]  [ ]  [ ]

## Observa los bloques de base diez.
## Expresa cada número en forma normal y en palabras.

**1**

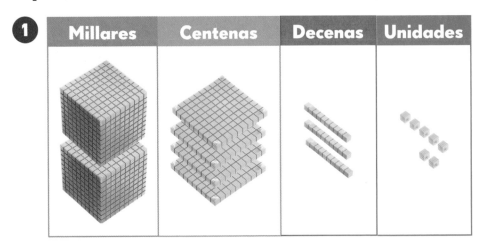

| Millares | Centenas | Decenas | Unidades |
|---|---|---|---|

Forma normal:

En palabras:

**2**

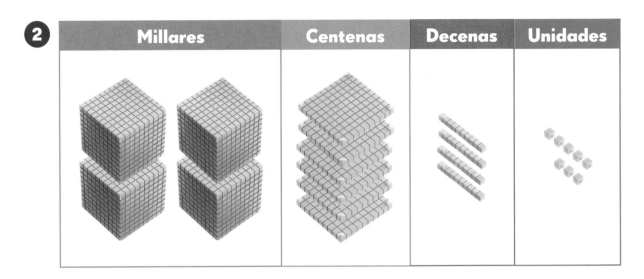

| Millares | Centenas | Decenas | Unidades |
|---|---|---|---|

Forma normal:

En palabras:

## Observa los bloques de base diez. Expresa cada número en forma normal.

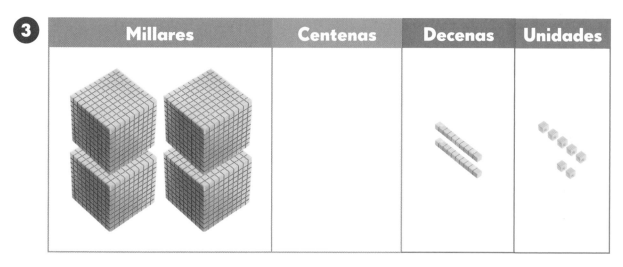

**3**

| Millares | Centenas | Decenas | Unidades |
|---|---|---|---|

La tabla muestra el número         .

**4**

| Millares | Centenas | Decenas | Unidades |
|---|---|---|---|

La tabla muestra el número         .

## Escribe cada número que falta. Cuenta hacia adelante de uno en uno, de diez en diez, de cien en cien o de mil en mil.

**5** 1,427   1,428   1,429

**6** 4,356   4,366   4,376

**7** 7,608   7,708   7,808

**8** 90   1,090   2,090

POR TU CUENTA

**Ver Cuaderno de actividades A:**
**Práctica 1, págs. 1 a 4**

# Lección 1.2 Valor posicional

## Objetivos de la lección

- Usar bloques de base diez y una tabla de valor posicional para leer, escribir y representar números hasta 10,000.

- Leer y escribir números hasta 10,000 en forma normal, en forma desarrollada y en palabras.

| Vocabulario |
| --- |
| dígito |
| tabla de valor posicional |
| valor |
| tiras de valor posicional |
| forma desarrollada |

**Aprende** **Usa una tabla de valor posicional y tiras de valor posicional para hallar el valor de los dígitos de un número.**

¿Cuántos 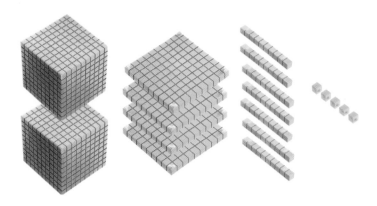 hay?

| Millares | Centenas | Decenas | Unidades |
| --- | --- | --- | --- |
| 2 | 4 | 7 | 5 |
| representa 2 millares o 2,000 | representa 4 centenas o 400 | representa 7 decenas o 70 | representa 5 unidades ó 5 |

Esta es una **tabla de valor posicional**.

En 2,475,
el **dígito** 2 está en el lugar de los millares.
el dígito 2 representa 2 millares o 2,000.
el **valor** del dígito 2 es igual a 2,000.

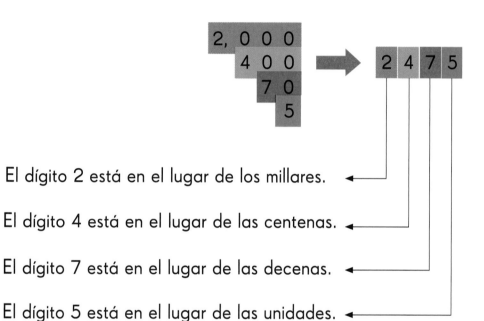

Estas son **tiras de valor posicional**.

El dígito 2 está en el lugar de los millares.

El dígito 4 está en el lugar de las centenas.

El dígito 7 está en el lugar de las decenas.

El dígito 5 está en el lugar de las unidades.

2,000, 400, 70 y 5 suman 2,475.

La forma en palabras de 2,475 es dos mil cuatrocientos setenta y cinco.

2,475 = 2 millares, 4 centenas, 7 decenas y 5 unidades
= 2,000 + 400 + 70 + 5

2,000 + 400 + 70 + 5 es la **forma desarrollada** de 2,475.

## Práctica con supervisión

### ¿Cuántos  hay? Escribe cada número que falta.

| Millares | Centenas | Decenas | Unidades |
|----------|----------|---------|----------|
|          |          |         |          |

**1** 1,329 = [ ] millar, [ ] centenas, [ ] decenas y [ ] unidades

**2** 1,329 = [ ] + [ ] + [ ] + [ ]

**3** En 1,329,

el dígito [ ] está en el lugar de los millares.

representa [ ] .

su valor es [ ] .

### Escribe cada número o palabra que falta.
### Usa bloques de base diez como ayuda.

**4** En 2,548,

el dígito [ ] está en el lugar de las centenas.

el dígito 4 representa [ ] .

el valor del dígito 8 es igual a [ ] .

**5** En 2,562, los valores del dígito 2 son:

2, 5 6 2

[ ]  ←⌐       ⌐→  [ ]

# Lee las tiras de valor posicional y completa los enunciados.

1,000, 800, 30 y 2 suman 1,832.

**6** ⬜ es la forma normal de 1,832.

**7** ⬜ es 1,832 en palabras.

**8** ⬜ es la forma desarrollada de 1,832.

7, 0 0 0
5

7,000 y 5 suman 7,005.

**9** ⬜ es la forma normal de 7,005.

**10** ⬜ es 7,005 en palabras.

**11** ⬜ es la forma desarrollada de 7,005.

# ¡A lanzar y mostrar!

Jugadores: **4 a 8**
Materiales:
• un dado de 10 caras
• bloques de base diez
• una tabla de valor posicional

**PASO 1** Forma dos grupos, los lanzadores y los mostradores.

**PASO 2** Los lanzadores lanzan el dado cuatro veces y obtienen cuatro números.

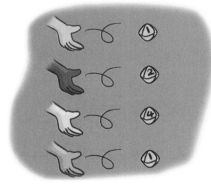

**PASO 3** Los mostradores usan estos números para formar un número de 4 dígitos. Luego, escriben ese número en una tabla de valor posicional y lo muestran con bloques de base diez.

**PASO 4** Cada grupo se turna para lanzar el dado y mostrar el número.

¡El grupo con más respuestas correctas gana!

# Aprende Usa una tabla de valor posicional y bloques de base diez para mostrar números mayores.

Tengo 4,827.

| Millares | Centenas | Decenas | Unidades |
|---|---|---|---|

```
4, 0  0  0
   8  0  0
      2  0
         7
```

4 millares, 8 centenas, 2 decenas y 7 unidades  =  4,827

4,000  +  800  +  20  +  7  =  4,827

4,000,   800,   20 y  7 suman 4,827.

## Práctica con supervisión

### Escribe cada número que falta. Usa bloques de base diez como ayuda.

**12** 5,000,   300,   10 y 6 suman ⬜ .

**13** 7,000,   200,   80 y 9 suman ⬜ .

**14** 3,000 + 100 + 70 + 5 = ⬜ .

### Escribe cada palabra o número que falta.

**15** ¿Cuál es el valor de cada dígito?

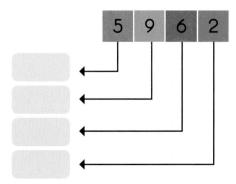

**16** En 6,925,

el dígito ⬜ está en el lugar de los millares.

el dígito 9 representa ⬜ .

el valor del dígito 2 es igual a ⬜ .

### Escribe cada número que falta.

**17** ⬜ , 300,   60 y 1 suman 4,361.

**18** 6,720 es igual a 6,000,   700 y ⬜ .

### Escribe cada número que falta.

**19** 3,000 + 900 + 10 + 5 = ⬜

**20** 1,324 = ⬜ + 300 + 20 + 4

# Practiquemos

**Escribe cada número que falta.**

**1**

| Millares | Centenas | Decenas | Unidades |
|----------|----------|---------|----------|
| 3 | 7 | 0 | 0 |

[ ] millares, [ ] centenas, [ ] decenas y [ ] unidades

El número es igual a [ ] .

**Expresa el número que se forma con las tiras de valor posicional en forma normal, en palabras y en forma desarrollada.**

**2** forma normal [ ]

**3** en palabras [ ]

**4** forma desarrollada [ ]

```
4, 0 0 0
     8 0 0
         6 0
            5
```

**Escribe cada número que falta.**

**5** En 2,839, el dígito [ ] está en el lugar de los millares.

**6** En 3,571, el dígito 5 representa [ ] .

**7** En 6,042, el valor del dígito 4 es igual a [ ] .

**Escribe cada número que falta.**

**8** 5,000, [ ] y 5 forman 5,805.

**9** 7,610 = 7,000 + [ ] + 10

**10** 4,000 + 50 = [ ]

**11** 8 + 500 + 9,000 = [ ]

**POR TU CUENTA**

**Ver Cuaderno de actividades A:**
**Práctica 2, págs. 5 a 10**

# 1.3 Comparar y ordenar números

## Objetivos de la lección

- Usar bloques de base diez para comparar y ordenar números.

- Usar el valor posicional para comparar y ordenar números.

**Vocabulario**

| mayor que (>) | el mayor |
|---|---|
| menor que (<) | regla |
| el menor | recta numérica |

**Aprende**

## Usa bloques de base diez para comparar y ordenar números.

¿Cuál es mayor: 4,051 ó 3,785?

| | | | |
|---|---|---|---|
| 4,051 | 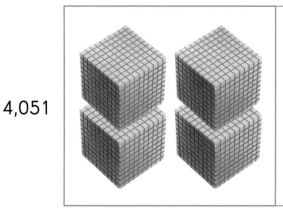 | | |
| 3,785 |  | 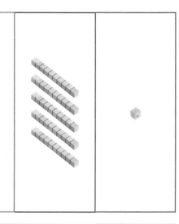 | 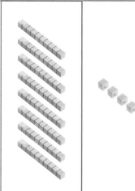 |

Compara los millares.
4,051 es mayor que 3,785.
4,051 > 3,785

4 millares es **mayor que** 3 millares.

# Práctica con supervisión

## Compara los números. Elige > o <.

**1**

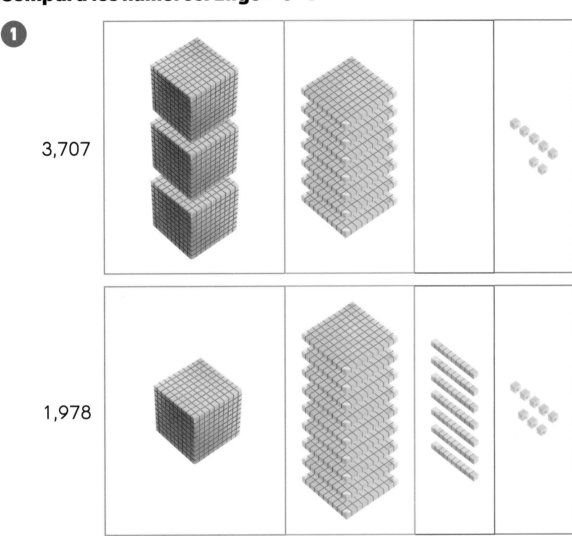

3,707

1,978

3,707 es ⬤ 1,978.

# Usa bloques de base diez para comparar y ordenar números.

¿Cuál es menor: 2,820 ó 2,356?

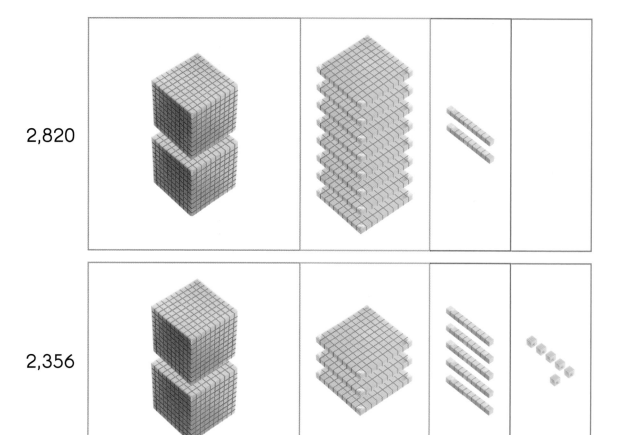

2,820

2,356

**Paso 1** Compara los millares. Son iguales.

**Paso 2** Compara las centenas.

3 centenas es **menor que** 8 centenas.

2,356 es menor que 2,820.
2,356 < 2,820

Los dos números pueden tener igual número de millares.
Entonces, debes comparar las centenas.

# Práctica con supervisión

## Compara los números. Elige > o <.

**2**

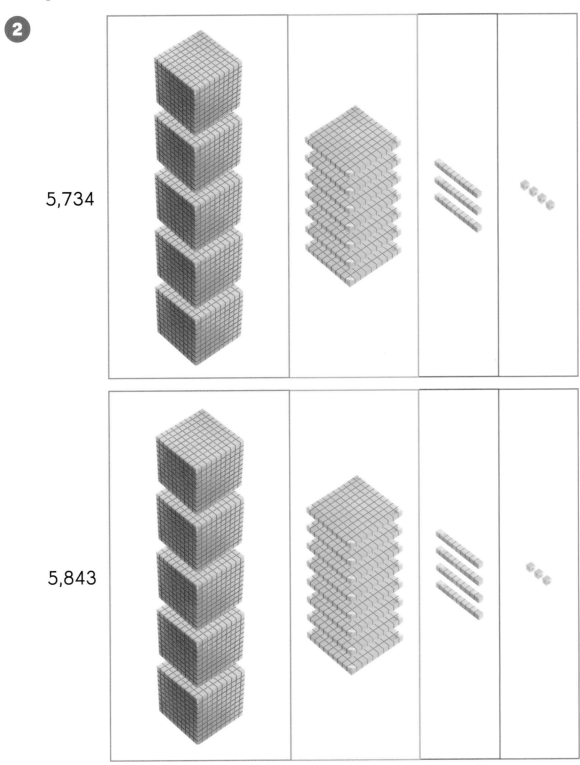

5,734

5,843

5,734 es ⬤ 5,843.

# Usa los valores posicionales para comparar números.

Compara 6,829 y 6,870.

¿Cuál es mayor?
¿Cuál es menor?

Los dos números pueden tener igual número de millares y centenas. Entonces, debes comparar las decenas.

6,870 es mayor que 6,829.

6,829 es menor que 6,870.

2 decenas es menor que 7 decenas.

......................................................

Compara 2,748 y 2,745.

¿Cuál es mayor?

Los dos números tienen igual número de millares, centenas y decenas. Entonces, debes comparar las unidades.

2,748 es mayor que 2,745.

2,748 > 2,745

8 unidades es mayor que 5 unidades.

## Práctica con supervisión

## Compara los números. Escribe < o >.

**3** 4,058 es ◯ 4,610.

**4** 6,289 es ◯ 6,280.

# Usa los valores posicionales para ordenar números.

Ordena 2,389, 3,001 y 3,010 de menor a mayor.

|  | Millares | Centenas | Decenas | Unidades |
|---|---|---|---|---|
| 2,389 | 2 | 3 | 8 | 9 |
| 3,001 | 3 | 0 | 0 | 1 |
| 3,010 | 3 | 0 | 1 | 0 |

Compara los millares.

3,010 y 3,001 son mayores que 2,389.
3,010 y 3,001 tienen igual número de millares y centenas.

Debes comparar las decenas.
3,010 es mayor que 3,001.

Entonces, 3,010 es **el mayor**.

2,389 es **el menor**.

Ordenados de menor a mayor:

2,389          3,001          3,010
el menor

## Práctica con supervisión

## Compara 4,769, 4,802 y 4,738.

**5** ¿Cuál es el menor? 

¿Cuál es el mayor? 

## Ordena los números de mayor a menor.

**6** 4,790   974   7,049   9,107

# Manos a la obra

**TRABAJAR EN PAREJAS**

**Jugadores: 2**
**Materiales:**
- **hoja de anotaciones**

2,314

**PASO 1**

El jugador 1 piensa en un número de 4 dígitos con 1, 2, 3 y 4. No se pueden repetir los dígitos.

**PASO 2**

El jugador 2 escribe su primera predicción en la primera hilera de la hoja de anotaciones.

| Millares | Centenas | Decenas | Unidades |
|----------|----------|---------|----------|
| 1 | 2 | 4 | 3 |
| | | | |
| | | | |

**PASO 3**

El jugador 1 da algunas pistas. Por ejemplo, si su número es 2,314 y la predicción del jugador 2 es 1,243, el jugador 1 dice:
- Mis millares son mayores que los tuyos.
- Mis centenas son mayores que las tuyas.
- Mis decenas son menores que las tuyas.
- Mis unidades son mayores que las tuyas.

**PASO 4**

El jugador 2 escribe su segunda predicción en la segunda hilera. Si su predicción es 2,134, el jugador 1 dice:
- Mis millares son iguales a los tuyos.
- Mis centenas son mayores que las tuyas.
- Mis decenas son menores que las tuyas.
- Mis unidades son iguales a las tuyas.

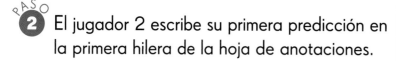

| Millares | Centenas | Decenas | Unidades |
|----------|----------|---------|----------|
| 1 | 2 | 4 | 3 |
| 2 | 1 | 3 | 4 |
| | | | |

**PASO 5**

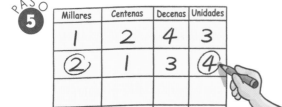

| Millares | Centenas | Decenas | Unidades |
|----------|----------|---------|----------|
| 1 | 2 | 4 | 3 |
| (2) | 1 | 3 | (4) |
| | | | |

El jugador 2 encierra en un círculo los números que son iguales a los del jugador 1. El jugador 2 continúa hasta que adivina el número correcto. Luego, se intercambian los roles ¡y vuelven a empezar!

## Busca patrones en una recta numérica.

Faltan algunos números en la **recta numérica**.
Halla los números que faltan.

Para hallar el número que falta,
debes buscar un patrón. La **regla**
es sumar 10 al número anterior.

+ 10

1,457   1,467

10 más que 1,457
es igual a 1,467.

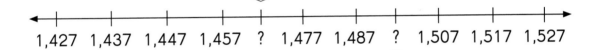

1,427   1,437   1,447   1,457   ?   1,477   1,487   ?   1,507   1,517   1,527

10 menos que 1,507
es igual a 1,497.

Para hallar el número que
falta, la regla del patrón
también puede ser restar 10
del número posterior.

− 10

1,497   1,507

## Práctica con supervisión

### Busca un patrón. Escribe cada número que falta.

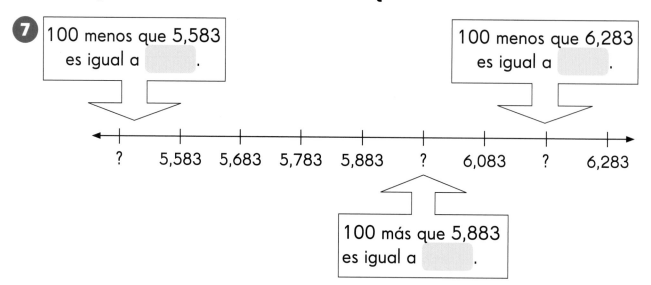

**(7)** 100 menos que 5,583 es igual a ___.

100 menos que 6,283 es igual a ___.

100 más que 5,883 es igual a ___.

?   5,583   5,683   5,783   5,883   ?   6,083   ?   6,283

### Escribe cada número que falta. Usa una recta numérica como ayuda.

**(8)** 10 más que 5,893 es igual a ___.

**(9)** 100 menos que 3,967 es igual a ___.

### Busca un patrón. Escribe cada número que falta.

**(10)**

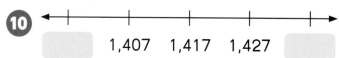

___   1,407   1,417   1,427   ___

### Completa cada patrón numérico. Usa una recta numérica como ayuda.

**(11)** 5,843   5,833   ___   5,813   ___   ___

**(12)** ___   ___   6,913   ___   6,933   6,943

**(13)** 7,662   ___   7,862   7,962   ___   ___

**(14)** 4,420   4,320   ___   4,120   4,020   ___

# Practiquemos

**Compara. Escribe < o >.**

**1** 999 ⬭ 8,950

**2** 2,800 ⬭ 2,080

**Escribe cada número que falta.**

**3** 10 menos que 3,415 es igual a ▭ .

**4** 100 más que 4,237 es igual a ▭ .

**Busca un patrón. Escribe cada número que falta.**

**5**
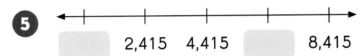
▭  2,415  4,415  ▭  8,415

**6**
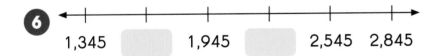
1,345  ▭  1,945  ▭  2,545  2,845

**Completa cada patrón numérico. Usa una recta numérica como ayuda.**

**7** 7,200  7,220  7,240  ▭  7,280  ▭  7,320

**8** 880  980  ▭  ▭  1,280  1,380  1,480  ▭  1,680

**9** 8,472  8,672  ▭  ▭  9,272  9,472  9,672

**POR TU CUENTA**

**Ver Cuaderno de actividades A:**
**Práctica 3, págs. 11 a 16**

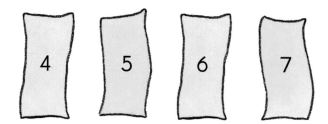

**Usa estas tarjetas para formar la mayor cantidad de números posible con:**

**1** 4 en el lugar de los millares.

**2** 6 en el lugar de los millares.

**3** ¿Cuántos números hay en total?

**Resta el número menor del número mayor del conjunto de números con:**

**4** 4 en el lugar de los millares.

**5** 6 en el lugar de los millares.

**Haz una lista de los pasos para ordenar los números de menor a mayor.**

**Ejemplo**

1,984    2,084    1,884

PASO
**1** Comparo los millares.

PASO
**2** Observo que 2,084 es el mayor.

PASO
**3** Comparo las centenas.

PASO
**4** Observo que 1,884 es el número menor.

Ordenados de menor a mayor:

1,884    1,984    2,084
el menor

· · · · · · · · · · · · · · · · · · · · · · · · · · · · · · · · · · · · · · · · · · · · · · · · · · · · · · · · · ·

9,049    9,654    8,785

Ordenados de menor a mayor:

[ ]    [ ]    [ ]

**Haz una lista de los pasos necesarios para llegar al resultado.**

# ¡Ponte la gorra de pensar!

## RESOLUCIÓN DE PROBLEMAS

Rita escribió tres números de 4 dígitos en una hoja de papel.
Sin querer, derramó un poco de tinta sobre la hoja.
Algunos dígitos quedaron tapados con la tinta.
Con las pistas dadas, ayuda a Rita a hallar los dígitos tapados con la tinta.

**PISTAS**

Todas las unidades suman 17.

El dígito que está en el lugar de las unidades del primer número es el número mayor de 1 dígito.

El dígito que está en el lugar de las decenas del segundo número es uno más que el dígito que está en el lugar de las decenas del primer número.

El dígito que está en el lugar de las decenas del tercer número es 4 menos que el dígito que está en el lugar de las decenas del segundo número.

**POR TU CUENTA**

**Ver Cuaderno de actividades A: ¡Ponte la gorra de pensar! págs. 17 a 18**

# Resumen del capítulo

## Guía de estudio
### Has aprendido...

IDEA IMPORTANTE
▶ Cuenta y compara números hasta 10,000.

## Los números hasta 10,000

### Leer, escribir y contar

9,745
- Forma desarrollada:
9,000 + 700 + 40 + 5
- En palabras:
nueve mil setecientos cuarenta y cinco
- Forma normal: 9,745

Contar
- de uno en uno: 3,928  3,929  3,930...
- de diez en diez: 2,096  2,106  2,116...
- de cien en cien: 813  913  1,013...
- de mil en mil: 4,126  5,126  6,126...

### Comparar y ordenar

| 1,638 | 1,728 | 1,629 | 2,268 |

Ordenar los números de mayor a menor.

- Comparar los millares.
2,268 es el número mayor.
- Comparar las centenas.
1,728 es mayor que 1,638 y 1,629.
- Comparar las decenas.
1,629 es el número menor.
2,268   1,728   1,638   1,629
el mayor

### Valor posicional

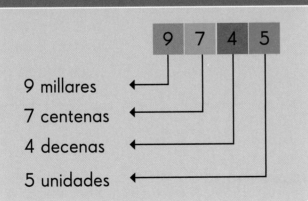

| 9 | 7 | 4 | 5 |

9 millares
7 centenas
4 decenas
5 unidades

### Patrones

Patrones numéricos        +10
- 2,304   2,314   2,324   2,334...
        +100
- 3,619   3,719   3,819   3,919...
        −10
- 5, 811   5,801   5,791   5,781...
        −100
- 7,235   7,135   7,035   6,935...

# Repaso/Prueba del capítulo

## Vocabulario
### Elige la palabra correcta.

millares
desarrollada
regla
normal

**1** La forma _____ de 3,614 es 3,000 + 600 + 10 + 4.

**2** En un número entero de 4 dígitos, el valor posicional mayor es el de los/la _____.

**3** La forma _____ de 2,193 es 2,193.

## Conceptos y destrezas
### Expresa cada número de diferentes formas.

**4** Expresa 8,056 en palabras. _____

**5** Expresa 6,254 en forma normal y en forma desarrollada. _____ _____

### Completa.
En 1,984,

**6** el dígito 9 está en el lugar de las _____.

**7** el valor del dígito 1 es igual a _____.

**8** el dígito 8 representa _____.

### Compara. Escribe > o <.

**9** 3,765 ____ 3,657

**10** 6,212 ____ 8,523

### Identifica el número mayor y el número menor.

**11** 3,615      3,156      3,561

## Ordena los números de menor a mayor.

**12** 6,028   8,620   960

**13** 9,143   9,034   9,134

**14** 3,256   3,279   3,238

**15** 7,425   7,429   7,420

## Escribe cada número que falta.

**16** 1 más que 6,722 es igual a ⬚ .

**17** 10 más que 2,863 es igual a ⬚ .

**18** 100 más que 829 es igual a ⬚ .

**19** 1,000 más que 988 es igual a ⬚ .

**20** 1 menos que 3,890 es igual a ⬚ .

**21** 10 menos que 8,742 es igual a ⬚ .

**22** 100 menos que 526 es igual a ⬚ .

**23** 1,000 menos que 4,059 es igual a ⬚ .

## Completa cada patrón numérico.

**24** 3,645   3,545   3,445   ⬚   3,245

**25** 5,014   6,014   ⬚   8,014   9,014

# Cálculo mental y estimación

## IDEA IMPORTANTE

▶ Los números conectados y las estrategias de estimación se pueden usar para hallar y comprobar sumas y diferencias.

# Recordar conocimientos previos

## Formar números conectados

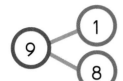    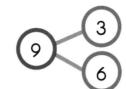  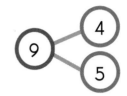

## Sumar usando números conectados

4 + 5 = 9

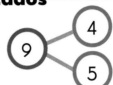

## Formar 10 para sumar

7 + 5 = ?

7 + 3 = 10
10 + 2 = 12

Entonces, 7 + 5 = 12

## Sumar usando la estrategia "sumar 10 y, luego, restar las unidades que sobran"

24 + 7 = ?

24 + 10 = 34

34 − 3 = 31

Entonces, 24 + 7 = 31

Sumar 7 es igual que sumar 10 y, luego, restar 3.

## Restar usando números conectados

$8 - 3 = 5$

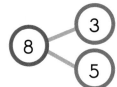

## Restar usando la estrategia "restar 10 y, luego, sumar las unidades que sobran"

$35 - 8 = ?$

$35 - 10 = 25$

$25 + 2 = 27$

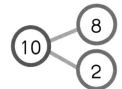

Entonces, $35 - 8 = 27$

Restar 8 es igual que restar 10 y, luego, sumar 2.

## Redondear para estimar sumas y diferencias y para comprobar si los resultados son razonables

$249 + 42 = 291$

249 es aproximadamente 250.

42 es aproximadamente 40.

$250 + 40 = 290$

$249 + 42$
es aproximadamente 290.

La respuesta es razonable.

$374 - 58 = 316$

374 es aproximadamente 370.

58 es aproximadamente 60.

$370 - 60 = 310$

$374 - 58$
es aproximadamente 310.

La respuesta es razonable.

**Escribe los números que faltan.**

**1**

**2**

**Escribe los números que faltan.**

**3** 6 = ⬚ + 5

**4** 2 + ⬚ = 10

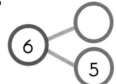

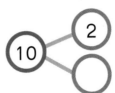

**Forma 10 para sumar.**

**5** Halla 6 + 9.

⬚ ⬚

9 + ⬚ = 10

10 + ⬚ = ⬚

Entonces, 6 + 9 = ⬚ .

**Suma. Usa la estrategia "sumar 10 y, luego, restar las unidades que sobran".**

**6** Halla 26 + 8.

26 + ⬚ = ⬚

⬚ − ⬚ = ⬚

Entonces, 26 + 8 = ⬚ .

# Escribe los números que faltan.

**7** 9 − 3 = ⬚

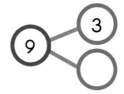

**8** 5 − ⬚ = 1

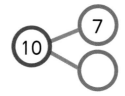

# Resta. Usa la estrategia "restar 10 y, luego, sumar las unidades que sobran".

**9** Halla 55 − 7.

55 − ⬚ = ⬚

⬚ + ⬚ = ⬚

Entonces, 55 − 7 = ⬚ .

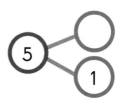

# Resuelve.

**10** Halla la suma de 319 y 73. Usa el redondeo para comprobar que tu resultado es razonable.

**11** Halla la diferencia entre 825 y 98. Usa el redondeo para comprobar que tu resultado es razonable.

# Suma mental

## Objetivo de la lección

- Sumar mentalmente números de 2 dígitos con o sin reagrupación.

**Suma mentalmente números de 2 dígitos usando la estrategia "sumar las decenas y, luego, sumar las unidades".**

Halla 34 + 52.

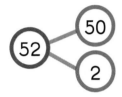

52 = ⬚ decenas y ⬚ unidades

**Paso 1** Suma 5 decenas a 34.     34 + 50 = 84

**Paso 2** Suma 2 unidades al resultado.     84 + 2 = 86

Entonces, 34 + 52 = 86.

## Práctica con supervisión

### Suma mentalmente. Usa números conectados como ayuda.

**1** Halla 45 + 23.

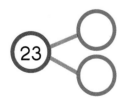

23 = ⬚ decenas y ⬚ unidades

**Paso 1** Suma ⬚ decenas a 45.     45 + ⬚ = ⬚

**Paso 2** Suma ⬚ unidades al resultado.     ⬚ + ⬚ = ⬚

Entonces, 45 + 23 = ⬚.

## Suma mentalmente números de 2 dígitos usando la estrategia "sumar las decenas y, luego, restar las unidades que sobran".

Halla 34 + 48.

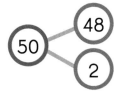

**Paso 1** Suma 50 a 34.                34 + 50 = 84

**Paso 2** Resta 2 del resultado.       84 − 2 = 82

Entonces, 34 + 48 = 82.

¿Sabes por qué sumas 50 y, luego, restas 2?

## Práctica con supervisión

## Suma mentalmente. Usa números conectados como ayuda.

**2** Halla 35 + 57.

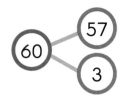

**Paso 1** Suma ▢ a 35.               35 + ▢ = ▢

**Paso 2** Resta ▢ del resultado.      ▢ − ▢ = ▢

Entonces, 35 + 57 = ▢.

**TRABAJAR EN GRUPO** **Juego**

# ¡Suma mentalmente!

**P A S O 1** El jugador 1 dice un número de 11 a 44.

20

**P A S O 2** Luego, el jugador 1 toma una tarjeta.

**P A S O 3** El jugador 1 suma mentalmente los dos números y dice a los otros jugadores su resultado.

$$20 + 46 = 66$$

**P A S O 4** Los otros jugadores comprueban el resultado. El jugador 1 obtiene 1 punto si el resultado es correcto.

$66 - 46 = 20$
$-20 = 46$

**P A S O 5** Devuelve la tarjeta a la mesa y mezcla las tarjetas. Túrnense para jugar tres rondas cada uno.

¡El jugador con más puntos gana!

## Practiquemos

**Escribe los números que faltan.**

**1** 38 = 3 decenas y ☐ unidades

**2** 62 = ☐ decenas y 2 unidades

**Suma mentalmente. Usa números conectados como ayuda.**

**3** Halla 11 + 37.

37 = ☐ + ☐

11 + ☐ = ☐

☐ + ☐ = ☐

Entonces, 11 + 37 = ☐ .

**4** Halla 66 + 23.

23 = ☐ + ☐

66 + ☐ = ☐

☐ + ☐ = ☐

Entonces, 66 + 23 = ☐ .

**5** 25 + 42 = ☐

**6** 56 + 32 = ☐

**7** 33 + 46 = ☐

**8** 41 + 57 = ☐

**Suma mentalmente. Usa números conectados como ayuda.**

**9** Halla 46 + 47.

46 + 50 = ☐

☐ − 3 = ☐

Entonces, 46 + 47 = ☐ .

**10** Halla 28 + 36.

28 + 40 = ☐

☐ − 4 = ☐

Entonces, 28 + 36 = ☐ .

**11** 13 + 49 = ☐

**12** 24 + 48 = ☐

**13** 37 + 56 = ☐

**14** 56 + 28 = ☐

POR TU CUENTA

**Ver Cuaderno de actividades A:**
**Práctica 1, págs. 19 a 20**

## Lección 2.2 Resta mental

## Objetivo de la lección

- Restar mentalmente números de 2 dígitos con o sin reagrupación.

**Aprende**

### Resta mentalmente números de 2 dígitos usando la estrategia "restar las decenas y, luego, restar las unidades".

Halla $87 - 34$.

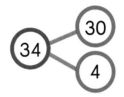

$34 = 3$ decenas y 4 unidades

**Paso 1** Resta 3 decenas de 87.      $87 - 30 = 57$

**Paso 2** Resta 4 unidades del resultado.      $57 - 4 = 53$

Entonces, $87 - 34 = 53$.

## Práctica con supervisión

## Resta mentalmente. Usa números conectados como ayuda.

**1** Halla $79 - 45$.

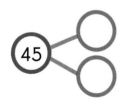

$45 = \boxed{\phantom{0}}$ decenas y $\boxed{\phantom{0}}$ unidades

**Paso 1** Resta $\boxed{\phantom{0}}$ decenas de 79.      $79 - \boxed{\phantom{0}} = \boxed{\phantom{0}}$

**Paso 2** Resta $\boxed{\phantom{0}}$ unidades del resultado.      $\boxed{\phantom{0}} - \boxed{\phantom{0}} = \boxed{\phantom{0}}$

Entonces, $79 - 45 = \boxed{\phantom{0}}$.

**Resta mentalmente números de 2 dígitos usando la estrategia "restar las decenas y, luego, sumar las unidades que sobran".**

Halla 63 − 48.

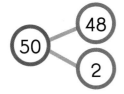

**Paso 1** Resta 50 de 63.          63 − 50 = 13

**Paso 2** Suma 2 al resultado.          13 + 2 = 15

Entonces, 63 − 48 = 15.

¿Sabes por qué restas 50 y, luego, sumas 2?

## Práctica con supervisión

**Resta mentalmente. Usa números conectados como ayuda.**

**2** Halla 72 − 47.

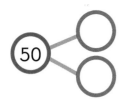

**Paso 1** Resta ▢ de 72.          72 − ▢ = ▢

**Paso 2** Suma ▢ al resultado.          ▢ + ▢ = ▢

Entonces, 72 − 47 = ▢.

**3** 96 − 38 = ▢

# ¡Resta mentalmente!

Jugadores: **2 a 5**
Material:
• tarjetas con números de **35 a 55**

**PASO 1** El jugador 1 dice un número de 11 a 99.

**PASO 2** Luego, el jugador 1 toma una tarjeta.

**PASO 3** El jugador 1 resta mentalmente el número menor del número mayor y dice a los otros jugadores su resultado.

$$80 - 35 = 45$$

**PASO 4** Los otros jugadores comprueban el resultado. El jugador 1 obtiene 1 punto si el resultado es correcto.

$$45 + 35 = 80$$
$$35 + \underline{\phantom{00}} = 80$$

**PASO 5** Devuelve la tarjeta a la mesa y mezcla las tarjetas. Túrnense para jugar tres rondas cada uno.

¡El jugador con más puntos gana!

# Practiquemos

**Escribe los números que faltan.**

**1** $42 = 40 +$ ⬚

**2** $76 =$ ⬚ $+ 6$

**Resta mentalmente. Usa números conectados como ayuda.**

**3** Halla $77 - 46$.

$46 =$ ⬚ $+$ ⬚

$77 -$ ⬚ $=$ ⬚

⬚ $-$ ⬚ $=$ ⬚

Entonces, $77 - 46 =$ ⬚.

**4** Halla $66 - 23$.

$23 =$ ⬚ $+$ ⬚

$66 -$ ⬚ $=$ ⬚

⬚ $-$ ⬚ $=$ ⬚

Entonces, $66 - 23 =$ ⬚.

**5** $49 - 26 =$ ⬚

**6** $76 - 42 =$ ⬚

**7** $87 - 34 =$ ⬚

**8** $98 - 23 =$ ⬚

**Resta mentalmente. Usa números conectados como ayuda.**

**9** Halla $65 - 47$.

$65 - 50 =$ ⬚

⬚ $+$ ⬚ $=$ ⬚

Entonces, $65 - 47 =$ ⬚.

**10** Halla $73 - 46$.

$73 - 50 =$ ⬚

⬚ $+$ ⬚ $=$ ⬚

Entonces, $73 - 46 =$ ⬚.

**11** $64 - 38 =$ ⬚

**12** $72 - 46 =$ ⬚

**13** $82 - 67 =$ ⬚

**14** $95 - 29 =$ ⬚

POR TU CUENTA

**Ver Cuaderno de actividades A: Práctica 2, págs. 21 a 24**

## Lección 2.3 Más suma mental

### Objetivo de la lección

- Usar diferentes estrategias para sumar mentalmente números de 2 dígitos próximos a 100.

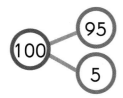 **Suma mentalmente números de 2 dígitos usando la estrategia "sumar 100 y, luego, restar las unidades que sobran".**

Halla 86 + 95.

95
100
5

**Paso 1** Suma 100 a 86.     86 + 100 = 186

**Paso 2** Resta 5 de 186.     186 − 5 = 181

Entonces, 86 + 95 = 181.

¿Sabes por qué sumas 100 y, luego, restas 5?

### Práctica con supervisión

**Suma mentalmente. Usa números conectados como ayuda.**

**1** Halla 75 + 98.

98
100

**Paso 1** Suma 100 a 75.                    ⬚ + ⬚ = ⬚

**Paso 2** Resta ⬚ de ⬚.                    ⬚ − ⬚ = ⬚

Entonces, 75 + 98 = ⬚.

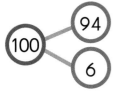 **Suma mentalmente números de 2 dígitos usando la estrategia "sumar las centenas y, luego, restar las unidades que sobran".**

Halla 94 + 97.

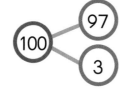

Tanto 94 como 97 están próximos a 100.

Restar 6 y 3 es lo mismo que restar 9.

**Paso 1** Suma las centenas.

$$100 + 100 = 200$$

**Paso 2** Resta 6 y 3 de 200.

$$200 - 6 - 3 = 191$$

Entonces, 94 + 97 = 191.

## Práctica con supervisión

**Suma mentalmente. Usa números conectados como ayuda.**

**2** Halla 95 + 99.

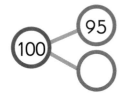

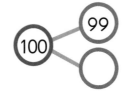

Tanto 95 como 99 están próximos a 100.

**Paso 1** Suma las centenas.

$$100 + 100 = \boxed{\phantom{000}}$$

**Paso 2** Resta las unidades de $\boxed{\phantom{000}}$ .

$$\boxed{\phantom{000}} - \boxed{\phantom{000}} - \boxed{\phantom{000}} = \boxed{\phantom{000}}$$

Entonces, 95 + 99 = $\boxed{\phantom{000}}$ .

# ¡Más suma mental!

Jugadores: 2 a 5
Materiales:
- un cubo numerado
- tarjetas con números de 92 a 99

**PASO 1** El jugador 1 lanza un cubo numerado dos veces para formar un número de 2 dígitos.

**PASO 2** Luego, el jugador 1 toma una tarjeta.

**PASO 3** El jugador 1 suma mentalmente los dos números y dice a los otros jugadores su resultado.

65 + 99 = 164

**PASO 4** Los otros jugadores comprueban el resultado. El jugador 1 obtiene 1 punto si el resultado es correcto.

¡El jugador con más puntos gana!

**PASO 5** Devuelve la tarjeta a la mesa y mezcla las tarjetas. Túrnense para jugar tres rondas cada uno.

# Practiquemos

**Suma mentalmente. Usa números conectados como ayuda.**

**1** Halla 63 + 99.

63 + 100 = [   ]

[   ] − [   ] = [   ]

Entonces, 63 + 99 = [   ] .

**2** Halla 47 + 97.

47 + 100 = [   ]

[   ] − [   ] = [   ]

Entonces, 47 + 97 = [   ] .

**3** 28 + 99 = [   ]

**4** 38 + 96 = [   ]

**5** 48 + 95 = [   ]

**6** 41 + 98 = [   ]

**Suma mentalmente. Usa números conectados como ayuda.**

**7** 92 + 96 = [   ]

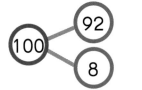

**8** 98 + 95 = [   ]

**9** 93 + 99 = [   ]

**POR TU CUENTA**

Ver Cuaderno de actividades A:
Práctica 3, págs. 25 a 26

# Lección 2.4 Redondear números para estimar

## Objetivo de la lección

- Redondear números para estimar sumas y diferencias.

**Vocabulario**
redondeado    razonable
estimación    sobreestimación

### Aprende

### Redondea un número de 3 dígitos hasta la centena menor más cercana.

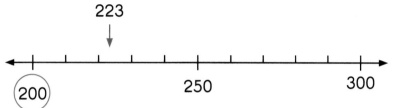

Hay 223 cuentas en la caja A. El número de cuentas de la caja A es 200 cuando se redondea hasta la centena más cercana.

223 está entre 200 y 300. Está más cerca de 200 que de 300 en la recta numérica. Entonces, 223 es 200 cuando está **redondeado** hasta la centena más cercana. 223 es aproximadamente 200.

200 es una **estimación**. Es un número que está cerca del número exacto.

### Redondea un número de 3 dígitos hasta la centena mayor más cercana.

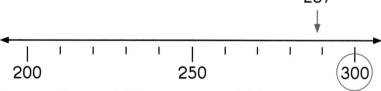

Hay 287 cuentas en la caja B. El número de cuentas de la caja B es 300 cuando se redondea hasta la centena más cercana.

287 está entre 200 y 300.

Está más cerca de 300 que de 200 en la recta numérica.

Entonces, 287 es 300 cuando está redondeado hasta la centena más cercana. 287 es aproximadamente 300.

Continúa

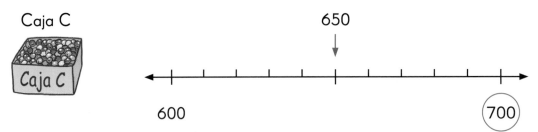

Caja C

650

600

700

Hay 650 cuentas en la caja C. El número de cuentas de la caja C es 700 cuando está redondeado hasta la centena más cercana.

650 está exactamente en el medio de 600 y 700 en la recta numérica. Entonces, 650 es 700 cuando está redondeado hasta la centena más cercana. 650 es aproximadamente 700.

**Redondear hasta la centena más cercana** Observa el dígito en el lugar de las decenas. Si es 1, 2, 3 ó 4, redondea hasta la centena menor. Si es 5, 6, 7, 8 ó 9, redondea hasta la centena mayor.

## Práctica con supervisión

### Redondea cada número hasta la centena más cercana.

**1** 216

**2** 550

**3** 360

**4** 950

 **Redondea un número de 4 dígitos hasta la centena más cercana.**

Redondea 2,329 y 2,382 hasta la centena más cercana.

2,329

2,382

2,300

2,350

2,400

2,329 está entre 2,300 y 2,400. Está más cerca de 2,300 que de 2,400 en la recta numérica. Entonces, 2,329 es 2,300 cuando está redondeado hasta la centena más cercana.
2,329 es aproximadamente 2,300.

2,382 está entre 2,300 y 2,400. Está más cerca de 2,400 que de 2,300 en la recta numérica. Entonces, 2,382 es 2,400 cuando está redondeado hasta la centena más cercana.
2,382 es aproximadamente 2,400.

## Redondea 4,632 hasta la centena más cercana.

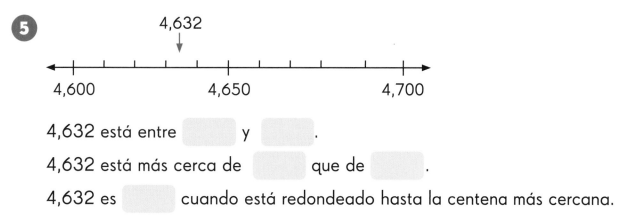

**5**

4,632 está entre ▭ y ▭ .

4,632 está más cerca de ▭ que de ▭ .

4,632 es ▭ cuando está redondeado hasta la centena más cercana.

## Para cada número, dibuja una recta numérica y marca con una (X) el número en la recta numérica.
## Usa la recta numérica para redondear cada número hasta la centena más cercana y enciérralo en un círculo.

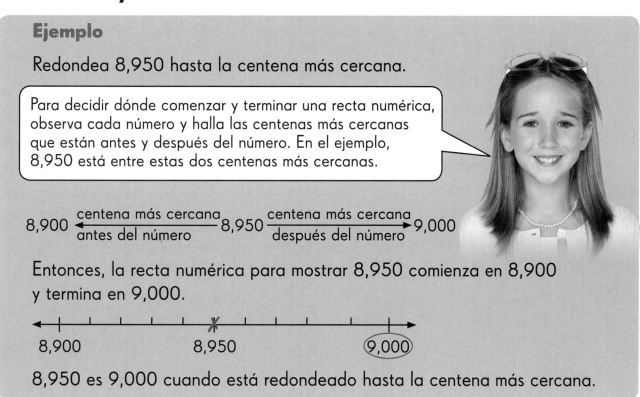

**Ejemplo**

Redondea 8,950 hasta la centena más cercana.

Para decidir dónde comenzar y terminar una recta numérica, observa cada número y halla las centenas más cercanas que están antes y después del número. En el ejemplo, 8,950 está entre estas dos centenas más cercanas.

8,900 ← centena más cercana antes del número — 8,950 — centena más cercana después del número → 9,000

Entonces, la recta numérica para mostrar 8,950 comienza en 8,900 y termina en 9,000.

8,950 es 9,000 cuando está redondeado hasta la centena más cercana.

**6** 5,050

**7** 4,158

**8** 2,502

**9** 9,050

# Redondea cada número hasta la decena y centena más cercanas.

| Número | Redondeado hasta la... más cercana | |
| --- | --- | --- |
| | Decena | Centena |
| **10** 68 | | |
| **11** 482 | | |
| **12** 3,209 | | |

# Usa rectas numéricas como ayuda.

**13** Menciona cinco números enteros que, redondeados hasta la centena más cercana, son 2,800.

Usa tus resultados para marcar con una (**X**) los números menor y mayor en la recta numérica.

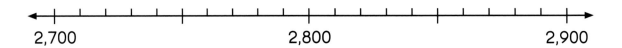

2,700         2,800         2,900

# Marca con una (X) el número menor y el número mayor en la recta numérica que, redondeados hasta la centena más cercana, son 9,300.

**14**
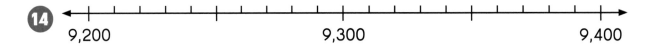

9,200         9,300         9,400

## Manos a la obra

Observa el siguiente mapa. Muestra las distancias entre algunas ciudades de Estados Unidos y la ciudad de Kansas.

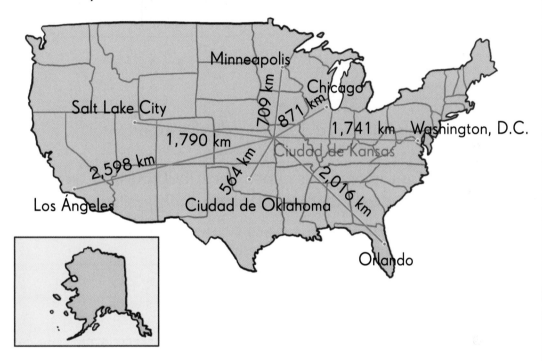

Redondea cada distancia hasta la centena de kilómetros más cercana.

**Ejemplo**

La distancia entre la ciudad de Kansas y Minneapolis es 709 kilómetros. 709 kilómetros es 700 kilómetros cuando están redondeados hasta la centena de kilómetros más cercana.

## Decide si debes hallar una estimación o una cantidad exacta.

Nita tiene 178 monedas de 1¢ en su alcancía.
Eduardo tiene 231 monedas de 1¢ en su alcancía.
¿Aproximadamente cuántas monedas de 1¢ tienen en total?

Redondea el número de monedas de 1¢ que tiene cada niño hasta la centena más cercana.

Como la pregunta dice "**aproximadamente** cuántas", puedes estimar el resultado.

178 se redondea a 200.
231 se redondea a 200.

200 + 200 = 400

Tienen aproximadamente 400 monedas de 1¢ en total.

Algunas niñas exploradoras deben hacer 500 galletas de avena para una feria de caridad. Hornean 92 galletas el lunes y 268 el martes.
¿Cuántas galletas más deben preparar?

92 + 268 = 360
500 − 360 = 140

Como la pregunta dice "cuántas galletas más", se necesita un resultado exacto.

Deben preparar 140 galletas más.

## Práctica con supervisión

## Decide si debes hallar una estimación o un resultado exacto. Resuelve.

**15** La señora Thornton mide 59 pulgadas de estatura.
Ella usa tacones que miden 3 pulgadas de altura.
¿Cuánto mide la señora Thornton con los zapatos puestos?

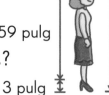

59 pulg    ? pulg

3 pulg

**16** Una panadería vende 379 pastelitos el lunes.
Vende 481 pastelitos el martes.
¿Aproximadamente cuántos pastelitos vende los dos días?

# Aprende

## Decide si debes hallar una estimación o una cantidad exacta.

La señora Blake tiene $900. Ella quiere comprar un horno de $257 y una lavadora de $518.

¿La señora Blake tiene suficiente dinero?

> ¿Necesitas un resultado exacto o una estimación?

Puedes usar una estimación para ver si la señora Blake tiene suficiente dinero.

Redondea cada cantidad hasta la centena más cercana.

257 es 300.

518 es 500.

300 + 500 = 800

La señora Blake tiene suficiente dinero.

. . . . . . . . . . . . . . . . . . . . . . . . . . . . . . . . . . . . . . . . . . . . . . . . . . . . . . . . . . . . . . . . .

Darren tiene $335.

Después de comprar dos sillas, a Darren le quedan $136.

**VENTA**
- Silla de comedor $122
- Silla con apoyabrazos $177
- Silla para computadora $138

ⓐ ¿Cuánto cuestan las dos sillas?

ⓑ ¿Cuáles dos sillas compra Darren?

> ¿Necesitas un resultado exacto o una estimación?

ⓐ Como la pregunta dice **"cuánto"**, necesitas un resultado exacto.

$335 − $136 = $199

Las dos sillas cuestan $199.

ⓑ Una estimación es suficiente para decidir cuáles sillas compra Darren.
Redondea el costo de cada objeto hasta la centena más cercana.

| Silla de comedor | 122 se redondea a 100. |
| Silla con apoyabrazos | 177 se redondea a 200. |
| Silla para computadora | 138 se redondea a 100. |

> $199 está más cerca de $200 que de $300.

$100 + $200 = $300
La silla de comedor y la silla con apoyabrazos cuestan aproximadamente $300.

$100 + $100 = $200
La silla de comedor y la silla para computadora cuestan $200.

Entonces, Darren compra la silla de comedor y la silla para computadora.

## Práctica con supervisión

### Decide si debes hallar una estimación o un resultado exacto. Resuelve.

**17** Un club de tenis compra 715 pelotas de tenis.
Después de algunos partidos, 318 pelotas quedan gastadas.
En los próximos partidos se utilizarán 415 pelotas de tenis.
¿El club tiene suficientes pelotas para los partidos que faltan?

**18** María tiene 557 cuentas. Le da 156 cuentas a su hermana.
Ella quiere usar el resto de las cuentas para crear dos diseños en su vestido.
Diseño A   159 cuentas
Diseño B   301 cuentas
Diseño C   242 cuentas

**a** ¿Cuántas cuentas usa para crear los diseños?

**b** ¿Cuáles dos diseños puede coser?

**19** Renaldo quiere colocar baldosas en su piso.
Tiene 899 baldosas.
172 baldosas están dañadas.
Dormitorio        235 baldosas
Sala de estar   523 baldosas
Cocina            656 baldosas

**a** ¿Cuántas baldosas le quedan para colocar en los pisos?

**b** ¿En cuáles dos habitaciones puede colocar las baldosas?

## Usa el redondeo para comprobar si las sumas son razonables.

Halla 182 + 415.

Luego, usa el redondeo para comprobar que tu resultado es razonable.

182 + 415 = 597

**Paso 1** Redondea cada número hasta la centena más cercana.

182 se redondea hasta 200.

415 se redondea hasta 400.

> 182 es aproximadamente 200.
> 415 es aproximadamente 400.

**Paso 2** Suma los números redondeados.

200 + 400 = 600

Entonces, 182 + 415 es aproximadamente 600.

597 está cerca de 600, entonces el resultado es **razonable**.

## Práctica con supervisión

### Halla la suma. Luego, usa el redondeo para comprobar que tu resultado es razonable.

**20** Halla 281 + 532.

281 + 532 = [ ]

281 redondeado hasta la centena más cercana es [ ] .

532 redondeado hasta la centena más cercana es [ ] .

[ ] + [ ] = [ ]

¿Tu resultado es razonable?

### Halla la suma. Luego, usa el redondeo para comprobar que tu resultado es razonable.
### Redondea cada número hasta la centena más cercana.

**21** 434 + 512 = [ ]

¿Tu resultado es razonable?

**22** 818 + 103 = [ ]

¿Tu resultado es razonable?

## Usa el redondeo para comprobar si las diferencias son razonables.

Halla 588 − 275.

Luego, usa el redondeo para comprobar que tu resultado es razonable.

588 − 275 = 313

**Paso 1** Redondea cada número hasta la centena más cercana.

588 se redondea hasta 600.

275 se redondea hasta 300.

> 588 es aproximadamente 600.
> 275 es aproximadamente 300.

**Paso 2** Resta los números redondeados.

600 − 300 = 300

Entonces, 588 − 275 es aproximadamente 300.

313 está cerca de 300, entonces el resultado es razonable.

## Práctica con supervisión

**Halla la diferencia. Luego, usa el redondeo para comprobar que tu resultado es razonable. Redondea cada número dado hasta la centena más cercana.**

**23** Halla 677 − 311.

677 − 311 = ⬜

677 redondeado hasta la centena más cercana es ⬜ .

311 redondeado hasta la centena más cercana es ⬜ .

⬜ − ⬜ = ⬜

Entonces, 677 − 311 es aproximadamente ⬜ .

¿Tu resultado es razonable?

**24** 426 − 296 = ⬜

¿Tu resultado es razonable?

**25** 852 − 463 = ⬜

¿Tu resultado es razonable?

# Practiquemos

**Marca con una (X) cada número en la recta numérica. Luego, redondea cada número hasta la centena más cercana y enciérralos en un círculo en la recta numérica.**

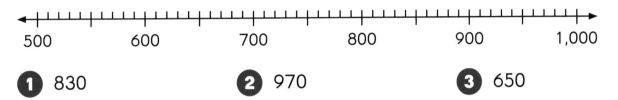

**1** 830　　　　**2** 970　　　　**3** 650

**Dibuja una recta numérica y marca con una (X) cada número. Luego, redondea el número hasta la centena más cercana y enciérralo en un círculo.**

**4** 4,283　　　　**5** 3,267　　　　**6** 7,235

**Halla la suma o la diferencia. Luego, usa el redondeo para comprobar que tu resultado es razonable.**

**7** 501 + 286　　　　　　**8** 478 − 214

**9** 368 + 495　　　　　　**10** 827 − 459

**Resuelve. Halla la estimación.**

**11** La señora Smith quiere comprar un par de pantalones que cuestan $168 y un bolso que cuesta $535. Estima el costo total de los dos artículos. ¿Tendría suficiente dinero para comprarlos si tuviera $600?

**12** Tanya tiene $158 y un librero cuesta $317. ¿Aproximadamente cuánto más necesita para comprarlo?

**POR TU CUENTA**

**Ver Cuaderno de actividades A:**
**Práctica 4, págs. 27 a 30**

# Usar la estimación por la izquierda

## Objetivo de la lección

• Usar la estimación por la izquierda para estimar sumas y diferencias.

### Aprende

## Halla el **dígito principal** de un número.

Observa los números.

**4**38        **2**,875

El dígito de la izquierda o dígito principal de **4**38 es 4.

El dígito de la izquierda o dígito principal de **2**,875 es 2.

El **dígito principal** de un número es el dígito con el mayor valor posicional.

## Práctica con supervisión

### Nombra el dígito principal de cada número.

**1** 712

**2** 567

**3** 309

**4** 9,543

**5** 2,485

**6** 8,021

### Completa.

**7** Escribe un número de 3 dígitos en el que el dígito principal sea 9.

**8** Escribe un número de 3 dígitos en el que el dígito principal sea 5.

**9** Escribe un número de 4 dígitos en el que el dígito principal sea 3.

**10** Escribe un número de 4 dígitos en el que el dígito principal sea 8.

## Aprende  Usa la  estimación por la izquierda  para estimar sumas y diferencias.

Estima 609 + 395.
609 + 395
↓        ↓
600 + 300 = 900

El dígito principal de **6**09 es 6.
El dígito principal de **3**95 es 3.

Estima 764 − 385.
764 − 385
↓        ↓
700 − 300 = 400

**7**64 **3**85
↑      ↑
Dígitos principales

La estimación por la izquierda usa los dígitos principales para estimar sumas y diferencias.

## Práctica con supervisión

**Resuelve.**
**Usa la estimación por la izquierda como ayuda.**

**11** El señor Moore compra 329 clips.
La señora Moore compra 518 clips.
Estima el número de clips que tienen en total.

**12** Brendan colecciona 987 señaladores.
Casey colecciona 475 señaladores.
¿Aproximadamente cuántos señaladores más que Casey tiene Brendan?

# Usa la estimación por la izquierda para comprobar si las sumas y diferencias son razonables.

Halla 636 + 289.

636 + 289 = 925

636 + 289

El dígito principal de **6**36 es 6.
El dígito principal de **2**89 es 2.

600 + 200 = 800

La suma estimada es 800.

Entonces, el resultado es razonable.

. . . . . . . . . . . . . . . . . . . . . . . . . . . . . . . . . . . . . . . . . . . . . . . . . . . . . . .

Halla 514 − 135.
514 − 135 = 379
514 − 135

**5**14    **1**35

Dígitos principales

500 − 100 = 400

La diferencia estimada es 400.

Entonces, el resultado es razonable.

## Práctica con supervisión

**Halla la suma. Luego, usa la estimación por la izquierda para comprobar que tu resultado es razonable.**

13 Halla 520 + 479.

520 + 479 = ⬜

527 + 479

⬜ + ⬜ = ⬜

La suma estimada es ⬜.

¿Tu resultado es razonable?

## Halla la diferencia. Luego, usa la estimación por la izquierda para comprobar que tu resultado es razonable.

**14** Halla $715 - 586$.

$715 - 586 =$ ⬚

$715 - 586$

↓　　　↓

⬚ $-$ ⬚ $=$ ⬚

La diferencia estimada es ⬚ .

¿Tu resultado es razonable?

## Resuelve. Comprueba que tu resultado es razonable.

**15** Juana camina 472 m.

Ronald camina 394 m.

Halla la distancia total que caminan ambos.

$472 + 394 =$ ⬚

$472 + 394$

↓　　　↓

⬚ $+$ ⬚ $=$ ⬚

La distancia estimada es ⬚ .

¿Tu resultado es razonable?

**16** El señor Morris vende 726 naranjas en un día.

La señora Morris vende 654 naranjas el mismo día.

¿Cuántas naranjas más vende el señor Morris?

$726 - 654 =$ ⬚

$726 - 654$

↓　　　↓

⬚ $-$ ⬚ $=$ ⬚

La diferencia estimada es ⬚ .

¿Tu resultado es razonable?

# Practiquemos

**Nombra el dígito principal de cada número.**

**1** 487

**2** 354

**3** 5,762

**4** 6,735

**5** 8,649

**6** 9,582

**Halla las sumas. Luego, usa la estimación por la izquierda para comprobar que tu resultado es razonable.**

**7** 354 + 187 =

**8** 742 + 254 =

**9** 665 + 168 =

**Halla las diferencias. Luego, usa la estimación por la izquierda para comprobar que tu resultado es razonable.**

**10** 673 − 154 =

**11** 574 − 487 =

**12** 739 − 572 =

**Resuelve. Usa la estimación por la izquierda para estimar.**

**13** Jennifer tiene $228. Necesita $654
más para comprar un televisor.
Estima el costo del televisor.

**14** En enero, la cuenta del agua del señor Estrada fue $47.
En febrero, su cuenta del agua aumentó a $89.
Estima cuánto más cara es su cuenta del agua para febrero.

**POR TU CUENTA**

**Ver Cuaderno de actividades A:**
**Práctica 4, págs. 31 a 34**

**Observa las estimaciones.**
**Decide si estás de acuerdo. Explica tu respuesta.**

**1** 683 + 568 es aproximadamente 600 + 600.

Entonces, 683 + 568 es aproximadamente 1,200.

Explicación:

**2** 510 − 257 es aproximadamente 500 − 200.

Entonces, 510 − 257 es aproximadamente 300.

Explicación:

**DESTREZAS DE RAZONAMIENTO CRÍTICO**
# ¡Ponte la gorra de pensar!

### RESOLUCIÓN DE PROBLEMAS

Yanina tiene dos números de 3 dígitos. Usa la estimación por la izquierda para estimar la suma de los dos números. Su resultado estimado es 800.

Halla 3 posibles conjuntos de dos números que no sumen más de 500 cada uno. Muestra el proceso.

**POR TU CUENTA**

**Cuaderno de actividades A:**
**¡Ponte la gorra de pensar!,**
**págs. 37 a 38**

# Resumen del capítulo

## Guía de estudio
### Has aprendido…

| Suma mental | Resta mental | Más suma mental |
|---|---|---|

### Suma mental

Suma las decenas y, luego, suma las unidades.
Halla 36 + 41.

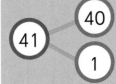

36 + 40 = 76

76 + 1 = 77

Entonces, 36 + 41 = 77.

Suma las decenas y, luego, resta las unidades que sobran.
Halla 36 + 46.

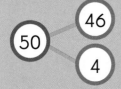

36 + 50 = 86

86 − 4 = 82

Entonces, 36 + 46 = 82.

### Resta mental

Resta las decenas y, luego, resta las unidades.
Halla 55 − 23.

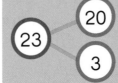

55 − 20 = 35

35 − 3 = 32

Entonces, 55 − 23 = 32.

Resta las decenas y, luego, suma las unidades que sobran.
Halla 72 − 37.

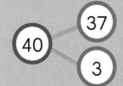

72 − 40 = 32

32 + 3 = 35

Entonces, 72 − 37 = 35.

### Más suma mental

Suma 100 y, luego, suma las unidades que sobran.
Halla 39 + 96.

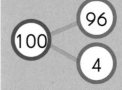

39 + 100 = 139

139 − 4 = 135

Entonces, 39 + 96 = 135.

Suma las centenas y, luego, resta las unidades que sobran.
Halla 97 + 98.

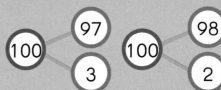

100 + 100 = 200

200 − 3 − 2 = 195

Entonces, 97 + 98 = 195.

## Estimación

a estimar
- la suma de dos números con el redondeo o la estimación por la izquierda.
- la diferencia entre dos números con el redondeo o la estimación por la izquierda.

a usar las sumas o diferencias estimadas para comprobar que los resultados exactos son razonables.

| Redondeo hasta la centena más cercana | Estimación por la izquierda |
|---|---|
| Redondea hasta la centena más cercana y, luego, suma o resta. Halla $365 + 519$. | Usa el valor de los dígitos principales para sumar o restar. Halla $365 + 519$. |

### Redondeo hasta la centena más cercana

Redondea hasta la centena más cercana y, luego, suma o resta.
Halla $365 + 519$.

$365 + 519 = 884$

365 se redondea hasta 400.
519 se redondea hasta 500.
$400 + 500 = 900$

884 es aproximadamente 900.
Entonces, el resultado es razonable.

Halla $769 - 314$.

$769 - 314 = 455$

769 se redondea a 800.
314 se redondea a 300.
$800 - 300 = 500$

455 es aproximadamente 500.
Entonces, el resultado es razonable.

### Estimación por la izquierda

Usa el valor de los dígitos principales para sumar o restar.

Halla $365 + 519$.

$365 + 519 = 884$

$365 + 519$
↓ ↓
$300 + 500 = 800$

884 es aproximadamente 800.
Entonces, el resultado es razonable.

Halla $769 - 314$

$769 - 314 = 455$

$769 - 314$
↓ ↓
$700 - 300 = 400$

455 es aproximadamente 400.
Entonces, el resultado es razonable.

# Repaso/Prueba del capítulo

## Vocabulario
## Elige la palabra correcta.

> redondea
> estima
> estimación por la izquierda
> dígito principal

**1** 677 es aproximadamente 700 cuando se ▭ hasta la centena más cercana.

**2** ▭ de un número es el dígito con el mayor valor posicional.

**3** ▭ usa el dígito principal para estimar una suma o una diferencia.

## Conceptos y destrezas
## Suma mentalmente.

**4** 27 + 62 = ▭

**5** 47 + 86 = ▭

**6** 39 + 96 = ▭

**7** 98 + 95 = ▭

## Resta mentalmente.

**8** 87 − 62 = ▭

**9** 65 − 27 = ▭

**10** 53 − 11 = ▭

**11** 98 − 44 = ▭

**Halla cada suma o cada diferencia. Luego, usa el redondeo para comprobar que tu resultado es razonable.**

**12** $215 + 143 =$ 

**13** $564 + 994 =$ 

**14** $615 - 323 =$ 

**15** $864 - 702 =$ 

**Halla cada suma o cada diferencia. Luego, usa la estimación por la izquierda para comprobar que tu resultado es razonable.**

**16** $632 + 421 =$ 

**17** $636 - 519 =$ 

## Resolución de problemas
## Resuelve. Halla la estimación.

**18** Paul tiene 72 tarjetas. Regala 59 tarjetas.
¿Aproximadamente cuántas tarjetas le quedan?

**19** Rick tiene $99. Ahorra otros $46.
Estima la cantidad de dinero que tiene ahora.

**20** El club de teatro cuenta con $416 para gastar en la próxima obra.
Los trajes cuestan $185. El maquillaje cuesta $176.
Estima el costo total de los trajes y el maquillaje.
Estima la cantidad de dinero que queda después de comprar ambos.

# Sumas hasta 10,000

¡Toc! ¡Toc!
¿Quién es?
Uno más.
¿Uno más qué?
Uno más para sumar a 99.
¡Y ahora tenemos 100!

¡Toc! ¡Toc!
¿Quién es?
Uno más.
¿Uno más qué?
Uno más para sumar a 999.
¡Y ahora tenemos 1,000!

¡Toc! ¡Toc!
¿Quién es?
Uno más.
¿Uno más qué?
Uno más para sumar a 9,999.
¡Y ahora tenemos 10,000!

## Lecciones

**3.1** Suma sin reagrupación

**3.2** Suma con reagrupación de centenas

**3.3** Suma con reagrupación de unidades, decenas y centenas

## IDEA IMPORTANTE

▶ Los números más grandes se pueden sumar de la misma manera que los números de 2 dígitos, con o sin reagrupación.

# Recordar conocimientos previos

### Hallar la suma

$45 + 23 = ?$

```
  4 5
+ 2 3
─────
  6 8  ←── suma
```

La suma de 45 y 23 es igual a 68.

### Sumar números de 3 dígitos sin reagrupación

$452 + 235 = ?$

**Paso 1** Suma las unidades.

```
  4 5 2
+ 2 3 5
───────
      7
```

**Paso 2** Suma las decenas.

```
  4 5 2
+ 2 3 5
───────
    8 7
```

**Paso 3** Suma las centenas.

```
  4 5 2
+ 2 3 5
───────
  6 8 7
```

### Sumar números de 3 dígitos con reagrupación

$243 + 178 = ?$

**Paso 1** Suma las unidades.
Reagrupa las unidades.

```
   1
  2 4 3
+ 1 7 8
───────
      1
```

3 unidades + 8 unidades
= 11 unidades
= 1 decena y 1 unidad

**Paso 2** Suma las decenas.
Reagrupa las decenas.

```
  1 1
  2 4 3
+ 1 7 8
───────
    2 1
```

1 decena + 4 decenas
+ 7 decenas
= 12 decenas
= 1 centena y 2 decenas

**Paso 3** Suma las centenas.

```
  1 1
  2 4 3
+ 1 7 8
───────
  4 2 1
```

1 centena + 2 centenas
+ 1 centena
= 4 centenas

## Repaso rápido

**Halla la suma.**

**1** La suma de 5 y 4 es igual a [ ] .

**2** La suma de 3 y 15 es igual a [ ] .

**3** La suma de 78 y 21 es igual a [ ] .

**4** La suma de 96 y 123 es igual a [ ] .

**Suma.**

**5** 813 + 172 = [ ]

**6** 654 + 312 = [ ]

**7** 508 + 271 = [ ]

**Suma.**

**8** 635 + 249 = [ ]

**9** 188 + 396 = [ ]

**10** 217 + 397 = [ ]

# 3.1 **Suma sin reagrupación**

## Objetivo de la lección

- Sumar números más grandes sin reagrupación.

suma

**Aprende** **Usa bloques de base diez y una tabla de valor posicional para hallar la suma.**

Halla la **suma** de 1,482 y 7,516.

| Millares | Centenas | Decenas | Unidades |
|---|---|---|---|

La suma de 1,482 y 7,516 es igual a 8,998.

Cuando sumas números, el resultado es la suma de los números.

**Paso 1**
Suma las unidades.

$$\begin{array}{r} 1,48\boxed{2} \\ +\ 7,51\boxed{6} \\ \hline \boxed{8} \end{array}$$

**Paso 2**
Suma las decenas.

$$\begin{array}{r} 1,4\boxed{8}2 \\ +\ 7,5\boxed{1}6 \\ \hline \boxed{9}8 \end{array}$$

**Paso 3**
Suma las centenas.

$$\begin{array}{r} 1,\boxed{4}82 \\ +\ 7,\boxed{5}16 \\ \hline \boxed{9}98 \end{array}$$

**Paso 4**
Suma los millares.

$$\begin{array}{r} \boxed{1},482 \\ +\ \boxed{7},516 \\ \hline \boxed{8},998 \end{array}$$

**Lección 3.1**  Suma sin reagrupación  **77**

## Práctica con supervisión

### Escribe los números que faltan.

**1** La suma de 2,653 y 3,302 es igual a [  ] .

| Millares | Centenas | Decenas | Unidades |
|:---:|:---:|:---:|:---:|
| 2 | 6 | 5 | 3 |
| + 3 | 3 | 0 | 2 |
| [  ] | [  ] | [  ] | [  ] |

### Suma. Usa bloques de base diez como ayuda.

**2**
```
   1,693
+  5,204
[      ]
```

**3**
```
   4,025
+    364
[      ]
```

**4**
```
   7,143
+  1,602
[      ]
```

**5**
```
   2,700
+  3,295
[      ]
```

## Practiquemos

### Suma. Usa bloques de base diez como ayuda.

**1** La suma de 436 y 9,210 es igual a [  ] .

**2** La suma de 2,421 y 6,308 es igual a [  ] .

**3** La suma de 5,668 y 3,020 es igual a [  ] .

**POR TU CUENTA**

Ver Cuaderno de actividades A:
Práctica 1, págs. 45 a 48

# Suma con reagrupación de centenas

## Objetivo de la lección

- Sumar números más grandes con reagrupación de centenas.

**Vocabulario**
reagrupar

**Aprende Usa bloques de base diez y una tabla de valor posicional para reagrupar cuando sumas.**

$1,200 + 2,900 = ?$

| Millares | Centenas | Decenas | Unidades |
|---|---|---|---|

| Millares | Centenas | Decenas | Unidades |
|---|---|---|---|

La suma de 1,200 y 2,900 es igual a 4,100.

**Paso 1**

Suma las centenas.

$$\begin{array}{r} \overset{1}{1},200 \\ +\ 2,900 \\ \hline 100 \end{array}$$

2 centenas
+ 9 centenas
= 11 centenas

**Reagrupa** las centenas.

11 centenas
= 1 millar y
1 centena

**Paso 2**

Suma los millares.

$$\begin{array}{r} \overset{1}{1},200 \\ +\ 2,900 \\ \hline 4,100 \end{array}$$

1 millar
+ 1 millar
+ 2 millares
= 4 millares

## Práctica con supervisión

### Escribe los números que faltan. Usa bloques de base diez como ayuda.

**1** $4,500 + 3,800 = ?$

Primero, suma las centenas y reagrupa.

5 centenas $+$ 8 centenas $=$ [ ] centenas

$=$ [ ] millar y [ ] centenas

Luego, suma los millares.

[ ] millar $+$ 4 millares $+$ 3 millares $=$ [ ] millares

Entonces, $4,500 + 3,800 =$ [ ].

```
  4, 5 0 0
+ 3, 8 0 0
```
[ ]

### Suma. Usa bloques de base diez como ayuda.

**2**
```
  5, 3 0 0
+ 1, 9 0 0
```
[ ]

**3**
```
  2, 8 0 0
+ 1, 7 0 0
```
[ ]

**4**
```
  7, 9 2 3
+ 1, 5 4 1
```
[ ]

**5**
```
  3, 8 4 0
+ 4, 7 2 0
```
[ ]

### Halla la suma de los números.

**6** 4,800 y 4,700 [ ]

**7** 4,300 y 2,800 [ ]

**8** 3,500 y 6,500 [ ]

**9** 2,473 y 1,623 [ ]

**Jugadores: 4 a 6**
**Materiales:**
- tarjetas de centenas de 100 a 900 (cuatro juegos)

# ¡SUMa mil!

**PASO 1** Recorta tarjetas de centenas de 100 a 900.
Hay cuatro tarjetas de cada número.

**PASO 2** Mezcla las tarjetas.
Cada jugador toma seis tarjetas.

**PASO 3** Cada jugador muestra una tarjeta al mismo tiempo.

**PASO 4** Di "Suma mil" en voz baja cuando veas dos tarjetas que sumen 1,000.

**Ejemplo**
1,000

**PASO 5** El primer jugador que dice "Suma mil" se lleva las dos tarjetas.

Cuando no se puedan hallar más pares de mil, todos los jugadores muestran su siguiente tarjeta y continúan el juego.

**PASO 6** El juego termina cuando no hay más tarjetas que sumen 1,000.

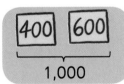

¡El jugador que junta más pares gana!

 **Exploremos**

**TRABAJAR EN PAREJAS**

## Para cada suma, halla un dígito que dé como resultado la reagrupación en el lugar de las centenas. Luego, suma.

**Ejemplo**

$$\overset{1}{4,}\ 2\ 0\ 0$$
$$+\ 2,\ \boxed{?}\ 0\ 0$$

> Si escribo 1, 2, 3, 4, 5, 6 ó 7 en el recuadro, no puedo reagrupar las centenas. Lo intentaré con 8 ó 9.

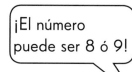

### Con el dígito '8'

$$\overset{1}{4,}\ 2\ 0\ 0$$
$$+\ 2,8\ 0\ 0$$
$$\overline{\quad\ 0\ 0\ 0}$$

Primero, suma las centenas.

$$\overset{1}{4,}\ 2\ 0\ 0$$
$$+\ 2,8\ 0\ 0$$
$$\overline{7,0\ 0\ 0}$$

Luego, suma los millares.
La suma es igual a 7,000.

> ¡El número puede ser 8 ó 9!

### Con el dígito '9'

$$\overset{1}{4,}\ 2\ 0\ 0$$
$$+\ 2,9\ 0\ 0$$
$$\overline{\quad\ 1\ 0\ 0}$$

Primero, suma las centenas.

$$\overset{1}{4,}\ 2\ 0\ 0$$
$$+\ 2,9\ 0\ 0$$
$$\overline{7,1\ 0\ 0}$$

Luego, suma los millares.
La suma es igual a 7,100.

**1**
$$5,\ \boxed{\phantom{0}}\ 0\ 0$$
$$+\ 2,\ 6\ 0\ 0$$

**2**
$$2,\ 4\ 0\ 0$$
$$+\ 3,\ \boxed{\phantom{0}}\ 0\ 0$$

**3**
$$6,\ 8\ 0\ 0$$
$$+\ 2,\ \boxed{\phantom{0}}\ 0\ 0$$

## Practiquemos

### Halla la suma de los números.

1. La suma de 4,400 y 2,700 es igual a [ ].

2. La suma de 3,500 y 5,500 es igual a [ ].

3. La suma de 2,600 y 1,600 es igual a [ ].

### Suma. Usa bloques de base diez como ayuda.
### Escribe los números que faltan.

4.
```
   2, 4 7 3
 + 1, 6 2 3
   ───────
```

5.
```
   4, 5 6 1
 + 2, 7 2 8
   ───────
```

6.
```
   4, 4 2 2
 + 2, 6 1 4
   ───────
```

7.
```
   5, 6 7 4
 + 3, 8 1 1
   ───────
```

8.
```
   2, 8 2 2
 + 2, 7 5 3
   ───────
```

9.
```
   1, 4 6 2
 + 3, 7 3 2
   ───────
```

**POR TU CUENTA**

**Ver Cuaderno de actividades A:**
**Práctica 2, págs. 49 a 50**

# Suma con reagrupación de unidades, decenas y centenas

## Objetivo de la lección

• Sumar números más grandes con reagrupación de unidades, decenas y centenas.

**Aprende**

### A veces reagrupas más de una vez.

$1,153 + 4,959 = ?$

| Millares | Centenas | Decenas | Unidades |
|---|---|---|---|
| | | | |

**Paso 1**
Suma las unidades.

$$\begin{array}{r} \overset{\scriptstyle 1}{} \\ 1,15\boxed{3} \\ + \ 4,95\boxed{9} \\ \hline \boxed{2} \end{array}$$

3 unidades
+ 9 unidades
= 12 unidades

Reagrupa las unidades.
12 unidades
= 1 decena y
2 unidades

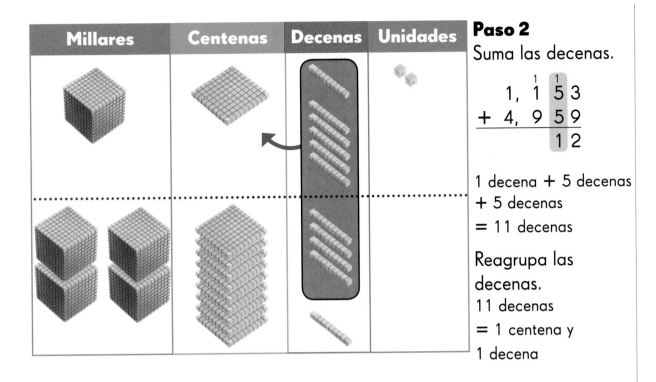

| Millares | Centenas | Decenas | Unidades |
|----------|----------|---------|----------|

### Paso 2
Suma las decenas.

$$\begin{array}{r} {\scriptstyle 1\ \ 1} \\ 1,\ 1\ 5\ 3 \\ +\ 4,\ 9\ 5\ 9 \\ \hline 1\ 2 \end{array}$$

1 decena + 5 decenas
+ 5 decenas
= 11 decenas

Reagrupa las decenas.
11 decenas
= 1 centena y
1 decena

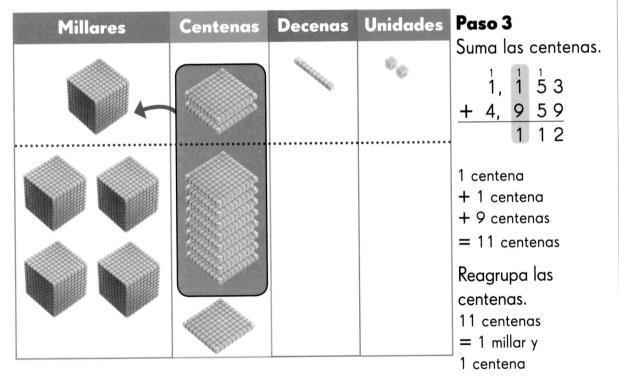

| Millares | Centenas | Decenas | Unidades |
|----------|----------|---------|----------|

### Paso 3
Suma las centenas.

$$\begin{array}{r} {\scriptstyle 1\ \ 1\ \ 1} \\ 1,\ 1\ 5\ 3 \\ +\ 4,\ 9\ 5\ 9 \\ \hline 1\ 1\ 2 \end{array}$$

1 centena
+ 1 centena
+ 9 centenas
= 11 centenas

Reagrupa las centenas.
11 centenas
= 1 millar y
1 centena

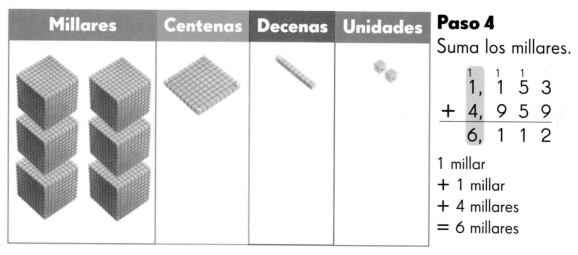

| Millares | Centenas | Decenas | Unidades |
|----------|----------|---------|----------|

**Paso 4**

Suma los millares.

$$
\begin{array}{r}
1,\ 1\ 5\ 3 \\
+\ 4,\ 9\ 5\ 9 \\
\hline
6,\ 1\ 1\ 2
\end{array}
$$

1 millar
+ 1 millar
+ 4 millares
= 6 millares

La suma de 1,153 y 4,959 es igual a 6,112.

## Práctica con supervisión

### Suma. Usa bloques de base diez como ayuda.

**1**
$$
\begin{array}{r}
3,\ 6\ 2\ 8 \\
+\ 1,\ 7\ 9\ 5 \\
\hline
\end{array}
$$

**2**
$$
\begin{array}{r}
5,\ 3\ 4\ 8 \\
+\ 3,\ 7\ 9\ 2 \\
\hline
\end{array}
$$

### Resuelve.

**3** Un año, la población de Crystal Town es 7,325.
En el mismo año, 2,501 personas se mudan al pueblo.
¿Cuántas personas hay en Crystal Town ahora?

**4** El señor Streep hace 4,728 panecillos en un día.
El señor Wu hace 1,584 panecillos más que el señor Streep.
¿Cuántos panecillos hizo el señor Wu?

## Suma. Usa bloques de base diez como ayuda.

**1** La suma de 3,562 y 4,729 es igual a ⬚ .

**2** La suma de 6,185 y 2,847 es igual a ⬚ .

**3** 8,943 + 268 = ⬚      **4** 1,628 + 4,586 = ⬚

## Resuelve.

**5** Cathy y Jordan salen de paseo por el bosque.
Cathy toma la ruta A y Jordan toma la ruta B.
Hay 3 lugares donde la ruta A y la ruta B se cruzan.
Cathy y Jordan acuerdan encontrarse en cada lugar para sumar los dos números que ven en el camino.
Halla los tres resultados.

**POR TU CUENTA**

**Ver Cuaderno de actividades A:**
**Práctica 3, págs. 51 a 54**

# Diario de matemáticas

## Observa las sumas. Explica el error en cada una.

**Ejemplo**

```
  3, 4 6 7
+ 1, 9 3 2
---------
  4, 3 9 9
```

Error: Las centenas no se reagruparon en millares y centenas.

```
  7, 5 2 9
+ 2, 4 6 1
---------
  9, 9 8 0
```

Error: Las unidades no se reagruparon en decenas y unidades.

**1**
```
  5, 8 6 9
+ 1, 4 2 5
---------
  4, 4 4 4
```

**2**
```
  3, 5 7 3
+ 1, 6 4 5
---------
  4, 1 1 8
```

## Enumera los pasos para sumar estos dos números.

**Ejemplo**

```
  ¹
  2 3 4
+ 4 7 5
-------
  7 0 9
```

**Paso 1**
Suma 4 unidades y 5 unidades para obtener 9 unidades.

**Paso 2**
Suma 3 decenas y 7 decenas para obtener 10 decenas.

**Paso 3**
Reagrupa 10 decenas en 1 centena y 0 decenas.

**Paso 4**
Suma 1 centena, 2 centenas y 4 centenas para obtener 7 centenas.

**3**
```
  4, 2 6 7
+ 2, 9 1 5
```

# ¡Ponte la gorra de pensar!

## RESOLUCIÓN DE PROBLEMAS

**Halla la suma de los números.**
**Usa números conectados para hallar un patrón numérico.**

### Ejemplo

320 + 182 + 260 + 242 + 160 + 342 + 360 + 142 + 190 + 312 = ?

320 + 182 = 500 + 2
260 + 242 = 500 + 2
160 + 342 = 500 + 2
360 + 142 = 500 + 2
190 + 312 = 500 + 2

Cinco veces 500 + cinco veces 2
= 2,500 + 10
= 2,510

Halla un patrón.

320 + 182
180    2

1 360 + 645 + 720 + 285 + 430 + 575 + 810 + 195 = ?

**POR TU CUENTA**

**Ver Cuaderno de actividades A:**
**¡Ponte la gorra de pensar!**
**págs. 55 a 58**

# Resumen del capítulo

## Guía de estudio

### Has aprendido...

**IDEA IMPORTANTE**

▶ Los números más grandes se pueden sumar de la misma manera que los números de 2 dígitos, con o sin reagrupación.

**Sumas hasta 10,000**

### Sin reagrupación

$2,315 + 1,231 = 3,546$

$$
\begin{array}{r}
2,3\,1\,5 \\
+\ 1,2\,3\,1 \\
\hline
3,5\,4\,6
\end{array}
$$

**Paso 1** Suma las unidades.
5 unidades + 1 unidad
= 6 unidades

**Paso 2** Suma las decenas.
1 decena + 3 decenas
= 4 decenas

**Paso 3** Suma las centenas.
3 centenas
+ 2 centenas
= 5 centenas

**Paso 4** Suma los millares.
2 millares
+ 1 millar
= 3 millares

### Con reagrupación

$1,434 + 4,567 = 6,001$

$$
\begin{array}{r}
{}^{1}\ {}^{1}\ {}^{1}\ \\
1,4\,3\,4 \\
+\ 4,5\,6\,7 \\
\hline
6,0\,0\,1
\end{array}
$$

**Paso 1** Suma las unidades y reagrupa.
4 unidades + 7 unidades
= 11 unidades
= 1 decena y 1 unidad

**Paso 2** Suma las decenas y reagrupa.
1 decena + 3 decenas
+ 6 decenas
= 10 decenas
= 1 centena y 0 decenas

**Paso 3** Suma las centenas y reagrupa.
1 centena + 4 centenas
+ 5 centenas
= 10 centenas
= 1 millar y 0 centenas

**Paso 4** Suma los millares.
1 millar + 1 millar
+ 4 millares
= 6 millares

# Repaso/Prueba del capítulo

## Vocabulario

### Elige la palabra correcta.

> total
> suma
> reagrupas

**1** Cuando ▭ 23 unidades, obtienes 2 decenas y 3 unidades.

**2** Cuando sumas dos o más números, el resultado es ▭ .

## Conceptos y destrezas

### Suma.

**3**
$$\begin{array}{r} 3,112 \\ +\phantom{0}635 \\ \hline \phantom{0000} \end{array}$$

**4**
$$\begin{array}{r} 5,618 \\ +2,045 \\ \hline \phantom{0000} \end{array}$$

**5**
$$\begin{array}{r} 2,573 \\ +1,989 \\ \hline \phantom{0000} \end{array}$$

**6**
$$\begin{array}{r} 6,725 \\ +2,805 \\ \hline \phantom{0000} \end{array}$$

### Halla la suma.

**7** La suma de 6,213 y 2,418 es igual a ▭ .

**8** La suma de 4,283 y 2,974 es igual a ▭ .

## Resolución de problemas

### Resuelve.

**9** El panadero Elliot hornea 2,925 panecillos en tres meses.
Hornea 1,861 panecillos menos que la panadera Susana.
¿Cuántos panecillos horneó la panadera Susana?

**10** En enero, 3,695 niños visitan el Museo de Arte.
816 niños más visitan el Museo de Arte en febrero que en enero.
¿Cuántos niños visitaron el museo en febrero?

# Capítulo 4

# Restas hasta 10,000

## Lecciones

**4.1** Resta sin reagrupación

**4.2** Resta con reagrupación de centenas y millares

**4.3** Resta con reagrupación de unidades, decenas, centenas y millares

**4.4** Ceros en la resta

**IDEA IMPORTANTE**

▶ Se pueden restar números mayores con o sin reagrupación.

92

## Recordar conocimientos previos

**Hallar la diferencia**

$70 - 12 = ?$

$$\begin{array}{r} \overset{6}{\cancel{7}}{}^{1}0 \\ -\ 1\ 2 \\ \hline 5\ 8 \end{array} \longleftarrow \text{diferencia}$$

La diferencia entre 70 y 12 es igual a 58.

**Restar números de 3 dígitos sin reagrupación**

$859 - 325 = ?$

**Paso 1** Resta las unidades.

$$\begin{array}{r} 8\ 5\ 9 \\ -\ 3\ 2\ 5 \\ \hline 4 \end{array}$$

**Paso 2** Resta las decenas.

$$\begin{array}{r} 8\ 5\ 9 \\ -\ 3\ 2\ 5 \\ \hline 3\ 4 \end{array}$$

**Paso 3** Resta las centenas.

$$\begin{array}{r} 8\ 5\ 9 \\ -\ 3\ 2\ 5 \\ \hline 5\ 3\ 4 \end{array}$$

**Restar números de 3 dígitos con reagrupación**

$$\begin{array}{r} \overset{4}{\cancel{5}}\ \overset{1}{2}{}^{1}3 \\ -\ 1\ 4\ 8 \\ \hline 3\ 7\ 5 \end{array}$$

**Paso 1** Reagrupa las decenas y las unidades. Resta las unidades.

**Paso 2** Reagrupa las centenas y las decenas. Resta las decenas.

**Paso 3** Resta las centenas.

## ✔ Repaso rápido

**Halla la diferencia.**
**Resta.**

1. La diferencia entre 162 y 29 es igual a ☐.

2. $368 - 153 = $ ☐

3. $714 - 359 = $ ☐

**Capítulo 4** Restas hasta 10,000 **93**

# Resta sin reagrupación

## Objetivo de la lección

• Usar bloques de base diez para restar sin reagrupar.

**Vocabulario**
diferencia

### Aprende Usa bloques de base diez y una tabla de valor posicional para hallar la **diferencia**.

Halla la diferencia entre 4,368 y 1,254.

| Millares | Centenas | Decenas | Unidades |
|---|---|---|---|
|  |  |  |  |

| Millares | Centenas | Decenas | Unidades |
|---|---|---|---|
|  |  |  |  |

La diferencia entre 4,368 y 1,254 es igual a 3,114.

**Paso 1**
Resta las unidades.

$$
\begin{array}{r}
4,36\;8 \\
-\;1,25\;4 \\
\hline
4
\end{array}
$$

**Paso 2**
Resta las decenas.

$$
\begin{array}{r}
4,368 \\
-\;1,254 \\
\hline
14
\end{array}
$$

**Paso 3**
Resta las centenas.

$$
\begin{array}{r}
4,368 \\
-\;1,254 \\
\hline
114
\end{array}
$$

**Paso 4**
Resta los millares.

$$
\begin{array}{r}
4,368 \\
-\;1,254 \\
\hline
3,114
\end{array}
$$

Cuando restas números, el resultado se llama diferencia.

## ¡Comprueba!

Si $4,368 - 1,254 = 3,114$,
entonces $3,114 + 1,254$ debería
ser igual a $4,368$.
El resultado es correcto.

$$\begin{array}{r} 3,114 \\ +\ 1,254 \\ \hline 4,368 \end{array}$$

## Práctica con supervisión

## Halla los números que faltan.

**1** La diferencia entre 7,526 y 2,103 es igual a [ ] .

| Millares | Centenas | Decenas | Unidades |
|:---:|:---:|:---:|:---:|
| 7 | 5 | 2 | 6 |
| − 2 | 1 | 0 | 3 |
| | | | |

## Resta. Usa bloques de base diez como ayuda.

**2**
$$\begin{array}{r} 2,356 \\ -\ 1,243 \\ \hline \end{array}$$

Suma para comprobar tus resultados.

**3**
$$\begin{array}{r} 3,418 \\ -\ 3,102 \\ \hline \end{array}$$

**4**
$$\begin{array}{r} 9,832 \\ -\ 7,810 \\ \hline \end{array}$$

# Manos a la obra

**TRABAJAR EN PAREJAS**

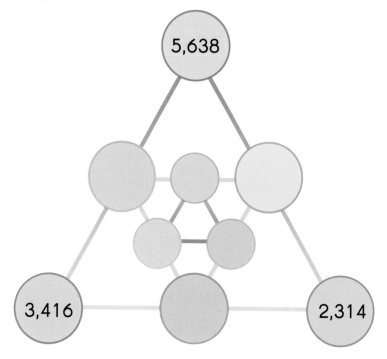

**PASO 1** Usa la figura provista. Elige dos números de la figura. Resta el número menor número mayor. Usa bloques de base diez como ayuda.

**PASO 2** Escribe el resultado en el círculo que está entre los dos números.

**PASO 3** Repite el **PASO 1** y el **PASO 2** hasta completar todos los círculos.

**Resta.**

**1**    3, 6 7 8
     −  2, 4 1 7
        ☐

**2**    4, 8 5 3
     −  1, 1 2 1
        ☐

**3**    5, 9 4 2
     −  3, 7 3 2
        ☐

**4**    9, 6 0 3
     −  5, 5 0 1
        ☐

**5** La diferencia entre 4,298 y 2,045 es igual a ☐ .

**6** La diferencia entre 5,138 y 7,459 es igual a ☐ .

**7** 4,786 − 2,534 = ☐

**8** 9,205 − 6,102 = ☐

Suma para comprobar tus resultados.

**POR TU CUENTA**

**Ver Cuaderno de actividades A:**
Práctica 1, págs. 59 a 60

# Resta con reagrupación de centenas y millares

## Objetivo de la lección

- Usar bloques de base diez para restar con reagrupación.

**Vocabulario**
reagrupar

### Aprende Usa bloques de base diez y una tabla de valor posicional para restar con reagrupación.

$$3{,}249 - 1{,}926 = \;?$$

| Millares | Centenas | Decenas | Unidades |
|----------|----------|---------|----------|

**Paso 1**
Resta las unidades.

```
  3, 2 4 9
− 1, 9 2 6
          3
```

9 unidades − 6 unidades
= 3 unidades

| Millares | Centenas | Decenas | Unidades |
|----------|----------|---------|----------|

**Paso 2**
Resta las decenas.

```
  3, 2 4 9
− 1, 9 2 6
        2 3
```

4 decenas − 2 decenas
= 2 decenas

| Millares | Centenas | Decenas | Unidades |
|---|---|---|---|
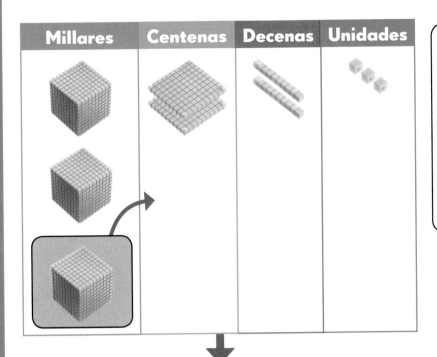

$$\begin{array}{r} 3,2\ 4\ 9 \\ -\ 1,9\ 2\ 6 \\ \hline 2\ 3 \end{array}$$

No se pueden restar 9 centenas de 2 centenas. Entonces, **reagrupa** los millares y las centenas.

| Millares | Centenas | Decenas | Unidades |
|---|---|---|---|

Reagrupa.

3 millares y 2 centenas

= 2 millares y 12 centenas

Continúa

| Millares | Centenas | Decenas | Unidades |
|---|---|---|---|
| | | | |

## Paso 3
Resta las centenas.

$$\overset{2}{\cancel{3}},\overset{1}{1}2\,4\,9$$
$$-\ \ 1,9\,2\,6$$
$$\overline{\hphantom{1,}\ \ 3\,2\,3}$$

12 centenas − 9 centenas
= 3 centenas

| Millares | Centenas | Decenas | Unidades |
|---|---|---|---|
| | | | |

## Paso 4
Resta los millares.

$$\overset{2}{\cancel{3}},\overset{1}{1}2\,4\,9$$
$$-\ \ 1,9\,2\,6$$
$$\overline{1,3\,2\,3}$$

2 millares − 1 millar
= 1 millar

Cuando se resta 1,926 de 3,249, la diferencia es igual a 1,323.

## ¡Comprueba!

Si 3,249 − 1,926 = 1,323,
entonces, 1,323 + 1,926 debería
ser igual a 3,249.
El resultado es correcto.

$$\overset{1}{\phantom{0}}1,3\,2\,3$$
$$+\ 1,9\,2\,6$$
$$\overline{3,2\,4\,9}$$

## Práctica con supervisión

### Reagrupa. Escribe los números que faltan.

**1** 7 millares y 3 centenas = 6 millares y [____] centenas

**2** 4 millares y 1 centena − 2 millares y 8 centenas

= 3 millares y [____] centenas − 2 millares y 8 centenas

= 1 millar y [____] centenas

### Resta. Usa bloques de base diez como ayuda.

**3**
$$\begin{array}{r} 6,200 \\ -\phantom{0}800 \\ \hline \phantom{0000} \end{array}$$

**4**
$$\begin{array}{r} 5,126 \\ -3,412 \\ \hline \phantom{0000} \end{array}$$

**5**
$$\begin{array}{r} 8,415 \\ -6,705 \\ \hline \phantom{0000} \end{array}$$

## Practiquemos

> Suma para comprobar tus resultados.

### Halla la diferencia. Usa bloques de base diez como ayuda.

**1** La diferencia entre 4,600 y 2,800 es igual a [____].

**2** La diferencia entre 5,678 y 742 es igual a [____].

**3** La diferencia entre 5,523 y 7,243 es igual a [____].

### Resta.

**4**
$$\begin{array}{r} 5,221 \\ -3,410 \\ \hline \phantom{0000} \end{array}$$

**5**
$$\begin{array}{r} 8,735 \\ -2,812 \\ \hline \phantom{0000} \end{array}$$

**POR TU CUENTA**

**Ver Cuaderno de actividades A:**
**Práctica 2, págs. 61 a 62**

# Resta con reagrupación de unidades, decenas, centenas y millares

## Objetivo de la lección

- Usar bloques de base diez para restar con reagrupación.

**Aprende** **Usa bloques de base diez y una tabla de valor posicional para restar con reagrupación.**

$5{,}146 - 2{,}598 = ?$

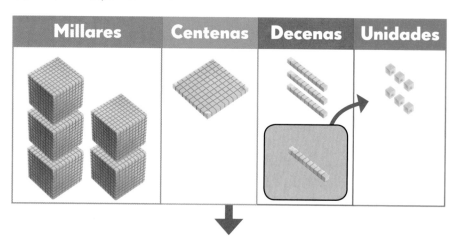

$$\begin{array}{r} 5{,}14\,6 \\ -\ 2{,}59\,8 \\ \hline \end{array}$$

No se pueden restar 8 unidades de 6 unidades. Entonces, reagrupa las decenas y las unidades.

Reagrupa.
4 decenas y
6 unidades
= 3 decenas y
16 unidades

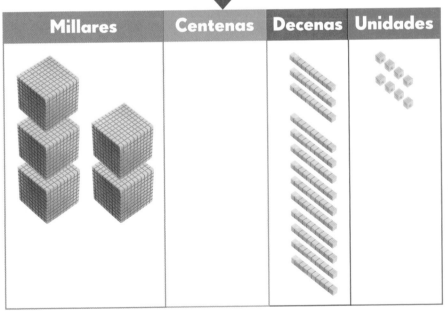

| Millares | Centenas | Decenas | Unidades |
|---|---|---|---|

| Millares | Centenas | Decenas | Unidades |
|---|---|---|---|

| Millares | Centenas | Decenas | Unidades |
|---|---|---|---|

## Paso 1

Resta las unidades.

$$5,\,1\,\overset{3}{\cancel{4}}\,{}^{1}6$$
$$-\,2,\,5\,9\,8$$
$$\overline{\phantom{000}8}$$

16 unidades −
8 unidades
= 8 unidades

$$5,\,1\,\overset{3}{\cancel{4}}\,6$$
$$-\,2,\,5\,9\,8$$
$$\overline{\phantom{000}8}$$

No se pueden
restar 9 decenas
de 3 decenas.
Entonces,
reagrupa las
centenas y
las decenas.

Reagrupa.

1 centena y 3 decenas
= 0 centenas y
13 decenas

Continúa

| Millares | Centenas | Decenas | Unidades |
|---|---|---|---|
| 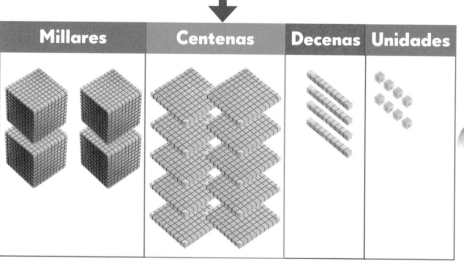 | | | |

**Paso 2**

Resta las decenas.

$$5,\overset{0}{\cancel{1}}\,\overset{1}{\cancel{4}}^{1}6$$
$$-\ 2,\ 5\ \ 9\ \ 8$$
$$\overline{\phantom{5,1}\ 4\ \ 8}$$

13 decenas –
9 decenas
= 4 decenas

| Millares | Centenas | Decenas | Unidades |
|---|---|---|---|
| | | | |

$$5,\overset{0}{\cancel{1}}\,\overset{1}{\cancel{4}}^{1}6$$
$$-\ 2,\ 5\ \ 9\ \ 8$$
$$\overline{\phantom{5,1}\ 4\ \ 8}$$

No se pueden
restar 5 centenas de
0 centenas.
Entonces, reagrupa
los millares y
las centenas.

Reagrupa.
5 millares y 0 centenas
= 4 millares y
10 centenas

| Millares | Centenas | Decenas | Unidades |
|---|---|---|---|
| | | | |

| Millares | Centenas | Decenas | Unidades |
|---|---|---|---|

**Paso 3**
Resta las centenas.

$$\begin{array}{r} \overset{4}{\cancel{5}},\overset{\overset{1}{0}}{\cancel{1}}\overset{\overset{1}{3}}{\cancel{4}}6 \\ -\ 2,598 \\ \hline 548 \end{array}$$

10 centenas
− 5 centenas
= 5 centenas

| Millares | Centenas | Decenas | Unidades |
|---|---|---|---|

**Paso 4**
Resta los millares.

$$\begin{array}{r} \overset{4}{\cancel{5}},\overset{\overset{1}{0}}{\cancel{1}}\overset{\overset{1}{3}}{\cancel{4}}6 \\ -\ 2,598 \\ \hline 2,548 \end{array}$$

4 millares
− 2 millares
= 2 millares

La diferencia entre 5,146 y 2,598 es igual a 2,548.

## ¡Comprueba!

Si 5,146 − 2,598 = 2,548,
entonces 2,548 + 2,598 debería ser
igual a 5,146.
El resultado es correcto.

$$\begin{array}{r} \overset{1}{\phantom{0}}\overset{1}{\phantom{0}}\overset{1}{\phantom{0}}\phantom{0} \\ 2,548 \\ +\ 2,598 \\ \hline 5,146 \end{array}$$

## Práctica con supervisión

**Reagrupa. Escribe los números que faltan.**

**1** 5 centenas y 8 decenas = 4 centenas y [ ] decenas

**2** 9 centenas, 3 decenas y 2 unidades — 4 centenas, 4 decenas y 4 unidades
= 9 centenas, [ ] decenas y [ ] unidades — 4 centenas, 4 decenas y 4 unidades

= 8 centenas, [ ] decenas y 12 unidades — 4 centenas, 4 decenas y 4 unidades

**Resta. Usa bloques de base diez como ayuda.**

**3**
```
   5, 1 7 6
−  4, 3 7 8
```
[ ]

**4**
```
   6, 4 5 2
−  2, 7 8 3
```
[ ]

**5**
```
   8, 3 2 4
−  5, 7 8 6
```
[ ]

# Practiquemos

**Halla la diferencia. Usa bloques de base diez como ayuda.**

**1** La diferencia entre 8,240 y 3,971 es igual a [ ].

**2** La diferencia entre 6,130 y 2,580 es igual a [ ].

**3** La diferencia entre 9,162 y 467 es igual a [ ].

**4** La diferencia entre 3,210 y 1,789 es igual a [ ].

**5** La diferencia entre 2,310 y 1,627 es igual a [ ].

**6** La diferencia entre 4,692 y 893 es igual a [ ].

Suma para comprobar tus resultados.

**POR TU CUENTA**

**Ver Cuaderno de actividades A:**
**Práctica 3, págs. 63 a 66**

# ¡La menor diferencia!

Jugadores: 2 a 4
Materiales:
- siete grupos de tarjetas con números de 0 a 9

 PASO **1** Recorta siete grupos de tarjetas con números de 0 a 9.

PASO **2** Mezcla las tarjetas. Cada jugador da vuelta ocho tarjetas hacia arriba.

PASO **3** Ordena las tarjetas para obtener dos números de 4 dígitos.

PASO **4** Resta los números. El jugador que obtenga la menor diferencia gana 5 puntos. Juega tres rondas.

¡El jugador con más puntos gana!

# 4.4 Ceros en la resta

## Objetivos de la lección

- Usar bloques de base diez cuando haya ceros en la resta.
- Escribir enunciados numéricos de resta.
- Resolver problemas de resta.

**Aprende** **Usa bloques de base diez cuando haya ceros en la resta.**

$2,000 - 257 = ?$

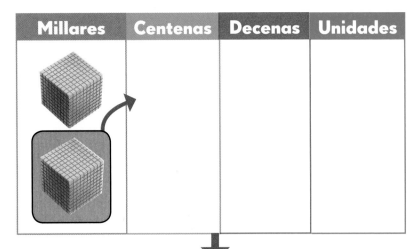

Reagrupa los millares y las centenas.

Reagrupa.

2 millares

= 1 millar y 10 centenas

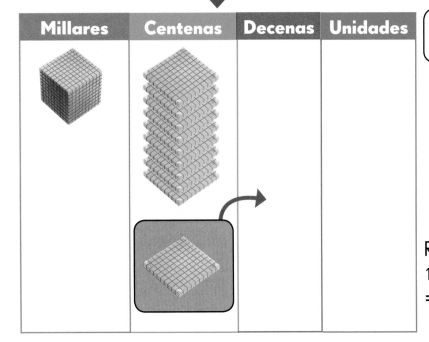

Reagrupa las centenas y las decenas.

Reagrupa.

10 centenas

= 9 centenas y 10 decenas

| Millares | Centenas | Decenas | Unidades |
|----------|----------|---------|----------|

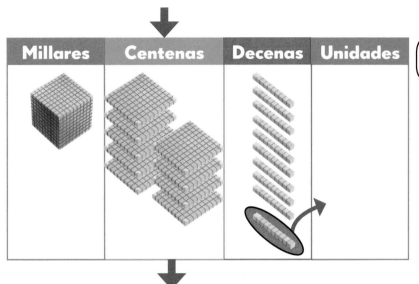

Reagrupa las decenas y las unidades.

Reagrupa.

10 decenas = 9 decenas y 10 unidades

| Millares | Centenas | Decenas | Unidades |
|----------|----------|---------|----------|

| Millares | Centenas | Decenas | Unidades |
|----------|----------|---------|----------|

## Paso 1

Resta las unidades.

$$\begin{array}{r} {}^{1}2\,{}^{19}0\,{}^{19}0\,{}^{1}0 \\ -\phantom{0}2\,5\,7 \\ \hline 3 \end{array}$$

10 unidades − 7 unidades = 3 unidades

Continúa

| Millares | Centenas | Decenas | Unidades |
|---|---|---|---|

## Paso 2
Resta las decenas.

$$2\,\overset{1}{\cancel{0}}\,\overset{19}{\cancel{0}}\,\overset{1}{0}$$
$$-\ \ \ \ 2\ 5\ 7$$
$$\underline{\hphantom{2\ 0\ }4\ 3}$$

9 decenas − 5 decenas
= 4 decenas

| Millares | Centenas | Decenas | Unidades |
|---|---|---|---|

## Paso 3
Resta las centenas.

$$2\,\overset{1}{\cancel{0}}\,\overset{9}{\cancel{0}}\,\overset{1}{0}$$
$$-\ \ \ \ 2\ 5\ 7$$
$$\underline{\hphantom{2\ }7\ 4\ 3}$$

9 centenas −
2 centenas
= 7 centenas

| Millares | Centenas | Decenas | Unidades |
|---|---|---|---|

## Paso 4
Resta los millares.

$$2\,\overset{1}{\cancel{0}}\,\overset{9}{\cancel{0}}\,\overset{1}{0}$$
$$-\ \ \ \ 2\ 5\ 7$$
$$\underline{1,\ 7\ 4\ 3}$$

1 millar − 0 millares
= 1 millar

La diferencia entre 2,000 y 257 es igual a 1,743.

¿Puedes hacer una estimación para comprobar si el resultado es correcto? Explica por qué.

## Práctica con supervisión

### Resta. Usa bloques de base diez como ayuda.

**1**
$$\begin{array}{r} 5,000 \\ -\ 3,700 \\ \hline \end{array}$$

**2**
$$\begin{array}{r} 6,000 \\ -\ 4,765 \\ \hline \end{array}$$

Suma para comprobar tus resultados.

**3**
$$\begin{array}{r} 8,003 \\ -\ 5,147 \\ \hline \end{array}$$

### Resuelve.

**4** Simón obtiene 4,000 puntos en un juego.
Leanne obtiene 935 puntos menos que Simón en el juego.
¿Cuántos puntos obtuvo Leanne?

**5** En una tienda hay 2,000 resmas de papel y 1,726 cuadernos.
¿Cuántas resmas de papel más que cuadernos hay en la tienda?

**6** En una exposición de flores hay 3,005 tipos de plantas.
987 de esas plantas son orquídeas.
¿Cuántos otros tipos de plantas hay?

Jugadores: 4 a 8
Materiales:
- Tarjeta A y tarjeta B

# ¡Resta los números!

**PASO 1** Elige un número de la tarjeta A y un número mayor de la tarjeta B.

| Tarjeta A | Tarjeta B |
|-----------|-----------|
| 126 | 1,000 |
| 12 | 2,000 |
| 1,645 | 3,000 |
| 3,200 | 4,000 |

**PASO 2** Resta el número menor del número mayor.

$$\begin{array}{r} 4,000 \\ - 3,200 \\ \hline \end{array}$$

**PASO 3** Juega cuatro rondas.

¡El grupo con más resultados correctos gana!

## Practiquemos

### Resta.

**1**    7, 0 0 0
   − 2, 8 4 0

**2**    3, 0 1 0
   − 2, 7 9 3

**3**    2, 0 0 5
   − 1, 0 0 7

**4** La diferencia entre 7,000 y 42 es igual a      .

**5** La diferencia entre 8,000 y 159 es igual a      .

### Resuelve.

**6** Una escuela de arte compra 1,450 sellos y 3,000 marcadores.
¿Cuántos marcadores más que sellos compró la escuela?

**7** Sonia dobla 1,000 estrellas de papel verdes y rojas.
692 estrellas son verdes.
¿Cuántas son rojas?

POR TU CUENTA

**Ver Cuaderno de actividades A:**
**Práctica 4, págs. 67 a 68**

# Diario de matemáticas

**Explica los errores.**
**Luego, halla el resultado correcto.**

**1**
```
   5,406
 − 3,798 ✗
 ───────
   2,392
```

**2**
```
   7,285
 − 3,429 ✗
 ───────
   3,866
```

**3**
```
   5,128
 − 4,534 ✗
 ───────
   9,662
```

DESTREZAS DE RAZONAMIENTO CRÍTICO

# ¡Ponte la gorra de pensar!

**RESOLUCIÓN DE PROBLEMAS**
**Halla los números que faltan.**

**1**
```
   4,☐83
 − 1,72☐
 ───────
  ☐,857
```

**2**
```
   7,☐51
 − ☐,619
 ───────
   4,83☐
```

**3**
```
  ☐,0☐0
 − 2,643
 ───────
   2,☐57
```

**4**
```
   8,☐40
 − ☐,7☐9
 ───────
   4,27☐
```

**POR TU CUENTA**
**Ver Cuaderno de actividades A:**
**¡Ponte la gorra de pensar!**
**págs. 69 a 72**

# Resumen del capítulo

## Guía de estudio

### Has aprendido...

**IDEA IMPORTANTE**

▶ Se pueden restar números mayores con o sin reagrupación.

**Restas hasta 10,000**

### Sin reagrupación

Resta las unidades.
Resta las decenas.
Resta las centenas.
Resta los millares.

$$\begin{array}{r} 4,663 \\ -\ 1,231 \\ \hline 3,432 \end{array}$$

Suma para comprobar el resultado.
Si 4,663 − 1,231 = 3,432,
entonces, 3,432 + 1,231 debería ser igual a 4,663.

$$\begin{array}{r} 3,432 \\ +\ 1,231 \\ \hline 4,663 \end{array}$$

### Con reagrupación

Reagrupa.
9,876
= 9 millares, 8 centenas,
   7 decenas y 6 unidades
= 9 millares, 8 centenas, 6 decenas y
   16 unidades
= 9 millares, 7 centenas, 16 decenas y
   16 unidades
= 8 millares, 17 centenas, 16 decenas y
   16 unidades

$$\begin{array}{r} 8\ ^17\,^16\ 1 \\ 9,\,8\,7\,6 \\ -\ 7,8\,7\,7 \\ \hline 1,9\,9\,9 \end{array}$$

Suma para comprobar el resultado.
Si 9,876 − 7,877 = 1,999,
entonces, 1,999 + 7,877
debería ser igual a 9,876.

$$\begin{array}{r} \,^1\quad ^1\ ^1 \\ 1,9\,9\,9 \\ +\ 7,8\,7\,7 \\ \hline 9,8\,7\,6 \end{array}$$

Reagrupa.
5,000
= 5 millares
= 4 millares y 10 centenas
= 4 millares, 9 centenas y 10 decenas
= 4 millares, 9 centenas, 9 decenas y
   10 unidades

$$\begin{array}{r} 4\ \ 9\ \ 9 \\ 5,\,^1 0\,^1 0\,^1 0 \\ -\ 4,\,3\,2\,1 \\ \hline 6\,7\,9 \end{array}$$

Suma para comprobar el resultado.
Si 5,000 − 4,321 = 679,
entonces, 679 + 4,321
debería ser igual a 5,000.

$$\begin{array}{r} \,^1\quad ^1\ ^1 \\ 6\,7\,9 \\ +\ 4,3\,2\,1 \\ \hline 5,0\,0\,0 \end{array}$$

# Repaso/Prueba del capítulo

## Vocabulario
### Elige la palabra correcta.

**1** Cuando restas números, el resultado es _____ .

**2** Expresar 4 millares así: 3 millares y 10 centenas es _____ millares y centenas.

**3** Un enunciado matemático con un signo de menos y un signo de igual es un ejemplo de _____ .

| enunciado de resta |
| reagrupar |
| diferencia |

## Conceptos y destrezas
### Resta.

**4**
$$3,742 - 631$$

**5**
$$7,025 - 1,413$$

**6**
$$4,366 - 749$$

**7**
$$5,782 - 1,913$$

**8**
$$9,326 - 1,438$$

**9**
$$1,000 - 715$$

## Resolución de problemas
### Resuelve.

**10** En una campaña de reciclaje, se juntaron 6,000 latas vacías.
Se aplastaron 3,156 latas.
¿Cuántas latas quedaron?

**11** Hay 6,206 entradas disponibles para un concierto.
Se venden 2,078 entradas.
¿Cuántas entradas quedaron?

# Modelos de barras: Suma y resta

## Lección

**5.1** Problemas cotidianos: La suma y la resta

## IDEA IMPORTANTE

▶ Los modelos de barras, la suma y la resta se pueden usar para resolver problemas cotidianos en 2 pasos.

# Recordar conocimientos previos

## Usar modelos de barras que representen las partes y el entero para resolver problemas cotidianos de suma

La señora Jones compra un pastel a $15 y le quedan $42. ¿Cuánto dinero tenía la señora Jones al principio?

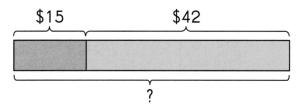

$15 + $42 = $57

La señora Jones tenía $57.

## Usar modelos de barras que representen sumas para resolver problemas cotidianos de suma

Shawn ordena 75 cajas de fruta el primer día.
Ordena otras 84 cajas de fruta el segundo día.
¿Cuántas cajas de fruta ordenó en los dos días?

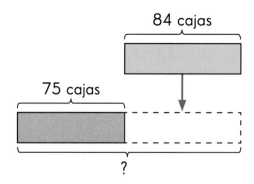

75 + 84 = 159

Shawn ordenó 159 cajas de fruta en total.

## Usar modelos de barras que representen comparaciones para resolver problemas cotidianos de suma

Grant compra 345 barras de fruta.
Ken compra 230 barras de fruta más que Grant.
¿Cuántas barras de fruta compró Ken?

345 barras de fruta   230 barras de fruta

Grant

Ken

?

$$345 + 230 = 575$$

Ken compró 575 barras de fruta.

## Usar modelos de barras que representen las partes y el entero para resolver problemas cotidianos de resta

Ben tiene en total 60 tarjetas de béisbol y de fútbol americano.
Tiene 24 tarjetas de fútbol americano.
¿Cuántas tarjetas de béisbol tiene?

24 tarjetas de
fútbol americano    ? tarjetas
de béisbol

60 tarjetas de béisbol
y fútbol americano

$$60 - 24 = 36$$

Tiene 36 tarjetas de béisbol.

## Usar modelos de barras que representen restas para resolver problemas cotidianos de resta

Bob tiene 110 botellas de agua.
Vende 28 botellas de agua.
¿Cuántas botellas de agua le quedaron?

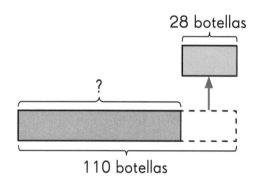

$110 - 28 = 82$

A Bob le quedaron 82 botellas de agua.

## Usar modelos de barras que representen comparaciones para resolver problemas cotidianos de resta

Tanya lee 749 páginas.
Michelle lee 324 páginas menos que Tanya.
¿Cuántas páginas leyó Michelle?

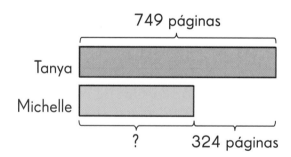

$749 - 324 = 425$

Michelle leyó 425 páginas.

## Resuelve. Usa modelos de barras como ayuda.

**1** Celeste cuenta 15 ilustraciones de monos y 20 ilustraciones de aves en su libro. ¿Cuántas ilustraciones de monos y aves contó?

**2** Jonathan lee 121 páginas de un libro el sábado.
Lee otras 59 páginas el domingo.
¿Cuántas páginas leyó en los dos días?

**3** Un huerto tiene 637 manzanos.
360 manzanos dan manzanas verdes.
¿Cuántos manzanos dan manzanas rojas?

**4** Un tanque contiene 546 litros de agua.
Se extraen 327 litros de agua.
¿Cuánta agua quedó en el tanque?

**5** Sandy tiene $586. Sandy tiene $124 menos que Peter.
¿Cuánto dinero tiene Peter?

**6** Un supermercado pone en venta 350 fresas.
Hay 186 fresas más que naranjas en venta.
¿Cuántas naranjas hay en venta?

# 5.1 Problemas cotidianos: La suma y la resta

## Objetivo de la lección

• Usar modelos de barras para resolver problemas cotidianos de suma y resta en 2 pasos.

**Vocabulario**
total
diferencia
modelo de barras

### Aprende Usa **modelos de barras** para resolver problemas cotidianos de suma y resta en 2 pasos.

Nancy y Sue vendieron entradas para un concierto.
Nancy vendió 3,450 entradas.
Sue vendió 1,286 entradas menos que Nancy.

ⓐ ¿Cuántas entradas vendió Sue?

ⓑ ¿Cuántas entradas vendieron en total?

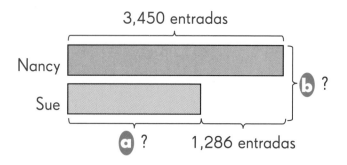

3,450 entradas

Nancy

Sue

ⓑ ?

ⓐ ?    1,286 entradas

Sue vendió menos entradas que Nancy. Entonces, compara el modelo.

ⓐ $3,450 - 1,286 = 2,164$
Sue vendió 2,164 entradas para el concierto.

ⓑ $3,450 + 2,164 = 5,614$
Vendieron 5,614 entradas en total.

**¡Comprueba!**

$2,164 + 1,286 = 3,450$
$5,614 - 2,164 = 3,450$
Las respuestas son correctas.

# Práctica con supervisión

## Resuelve. Usa modelos de barras como ayuda.

**1** Una computadora cuesta $1,950.
Cuesta $250 menos que un televisor.

**a** ¿Cuánto cuesta el televisor?

**b** ¿Cuánto cuestan los dos objetos en total?

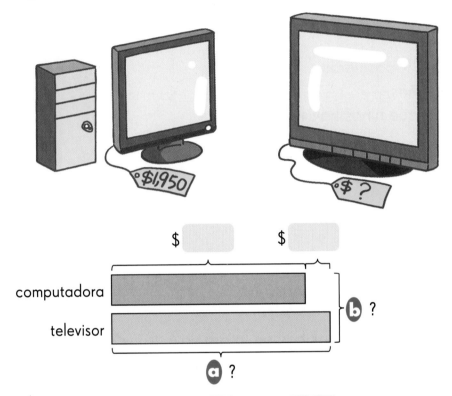

**a** $ [ ] ⬤ $ [ ] = $ [ ]

El televisor cuesta $ [ ] .

**b** $ [ ] ⬤ $ [ ] = $ [ ]

Los dos objetos cuestan en total $ [ ] .

La computadora cuesta menos que el televisor. Entonces, compara el modelo.

**2** Una escuela tiene 720 niñas.
Tiene 250 niños más que niñas.
¿Cuántos niños y niñas van a la
escuela en total?

Primero, halla el
número de niños
que tiene la escuela.

**3** En un crucero hay 5,099 pasajeros.
1,825 pasajeros son niños.
¿Cuántos adultos más que niños hay en el barco?

¿Qué debes hallar
primero?

**4** Una granja tiene 1,263 pollitos y gallinas.
814 son pollitos.
¿Cuántas gallinas menos que pollitos hay en la granja?

Comprueba tus
respuestas.

**5** El teatro A tiene 3,460 asientos.
El teatro B tiene 290 asientos menos que
el teatro A.
¿Cuántos asientos tienen los dos teatros en total?

# Exploremos

**TRABAJAR EN PAREJAS**

**PASO 1** Piensa en dos números menores que 50.

9 y 4

12 y 7

**PASO 2** Halla el total y la diferencia del par de números.

9 + 4 = 13
9 − 4 = 5

12 + 7 = 19
12 − 7 = 5

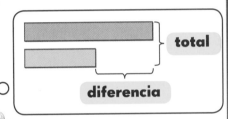

total

diferencia

**PASO 3** Suma el total y la diferencia del par de números.
Compara el resultado con el número mayor del par.

13 + 5 = 18

19 + 5 = 24

Compara 18 y 9.

Compara 24 y 12.

**PASO 4** Repite del **PASO 1** al **PASO 3** con otros dos pares de números.

**PASO 5** ¿Ves un patrón? Explica la respuesta.

# Practiquemos

**Resuelve. Usa modelos de barras como ayuda.**

**1** La profesora de gimnasia gasta $240 en equipamiento nuevo para el patio de juegos.
El maestro de Ciencias gasta $85 más en equipamiento nuevo para el laboratorio.

    **a** ¿Cuánto gastó el maestro de Ciencias?

    **b** ¿Cuánto gastaron ambos en total?

**2** Sarah viaja 750 millas.
Kim viaja 125 millas más que Sarah.

    **a** ¿Cuántas millas viajó Kim?

    **b** ¿Cuántas millas viajaron en total?

**3** 1,235 personas asisten a un espectáculo de delfines.
275 personas menos asisten a un espectáculo de aves.
¿Cuántas personas asistieron a los dos espectáculos?

**4** Dos camiones llevan una carga total de 2,361 naranjas.
El primer camión lleva 886 naranjas.
¿Cuántas naranjas más lleva el segundo camión que el primer camión?

**Para cada modelo de barras, inventa un problema cotidiano en 2 pasos. Luego, resuelve.**

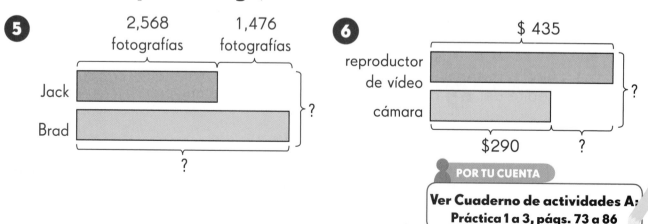

**POR TU CUENTA**

**Ver Cuaderno de actividades A: Práctica 1 a 3, págs. 73 a 86**

# ¡Ponte la gorra de pensar!

## RESOLUCIÓN DE PROBLEMAS

Una granja tiene 4 tipos de animales y 8 animales en total.

Algunos de los animales tienen 2 patas y otros 4 patas.

Entre todos los animales, tienen 20 patas en total.

¿Cuántos animales tienen 4 patas?

Nombra los animales que podrían estar debajo de los arbustos.

_____ de los animales tienen 4 patas.

Los animales de la granja podrían ser _____ , _____ , _____ y _____ .

**POR TU CUENTA**

**Ver Cuaderno de actividades A:
¡Ponte la gorra de pensar!
págs. 87 a 88**

# Resumen del capítulo

## Guía de estudio

**Has aprendido...**

**Modelos de barras: Suma y resta**

**Resolver problemas cotidianos en 2 pasos**

### Suma

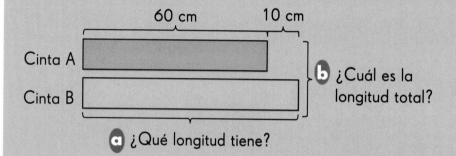

60 cm · 10 cm

Cinta A

Cinta B

**b** ¿Cuál es la longitud total?

**a** ¿Qué longitud tiene?

**a** 60 + 10 = 70

La cinta B mide 70 centímetros de longitud.

**b** 60 + 70 = 130

La longitud total de las cintas A y B es 130 centímetros.

### Resta

80 lb

Caja A

Caja B

122 lb

**a** ¿Cuánto pesa?

**b** ¿Cuánto menos pesa?

**a** 122 − 80 = 42

El peso de la caja B es 42 libras.

**b** 80 − 42 = 38

El peso de la caja B es 38 libras menos que el peso de la caja A.

## Suma y resta

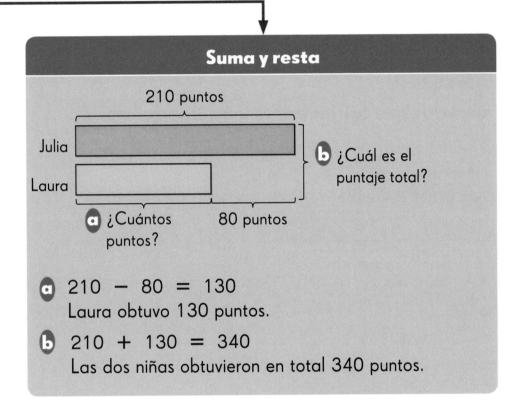

210 puntos

Julia

Laura

**b** ¿Cuál es el puntaje total?

**a** ¿Cuántos puntos?

80 puntos

**a** 210 − 80 = 130
Laura obtuvo 130 puntos.

**b** 210 + 130 = 340
Las dos niñas obtuvieron en total 340 puntos.

# Repaso/Prueba del capítulo

## Vocabulario

### Elige la palabra correcta.

modelo de barras
total
diferencia

**1** [____] te ayuda a visualizar un problema en forma gráfica.

**2** El resultado de un problema de suma se denomina suma o [____].

**3** El resultado de un problema de resta se denomina [____].

## Conceptos y destrezas

### Escribe los números que faltan en los modelos de barras.

**4**

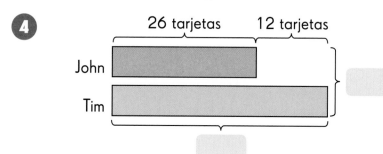

**5**

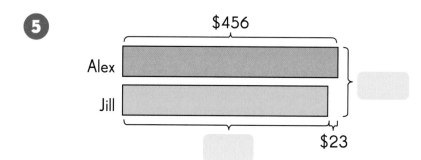

**6**

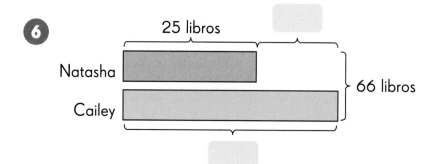

**7**

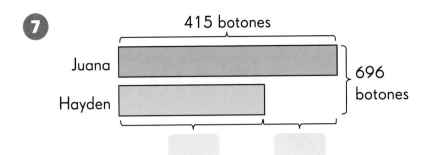

415 botones

Juana

Hayden

696 botones

**8**

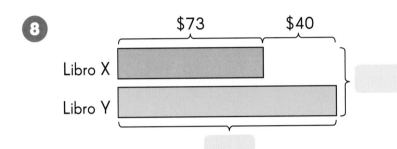

$73      $40

Libro X

Libro Y

**9**

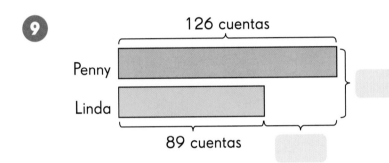

126 cuentas

Penny

Linda

89 cuentas

## Resolución de problemas

### Resuelve. Usa modelos de barras como ayuda.

**10** Una biblioteca tiene 3,250 libros de ficción.
Tiene 1,789 libros de no-ficción.

**a** ¿Cuántos libros de ficción más que libros de no-ficción tiene la biblioteca?

**b** ¿Cuántos libros de ficción y de no-ficción tiene la biblioteca en total?

**11** En un partido de hockey hay 315 simpatizantes del equipo local.
El equipo visitante tiene 28 simpatizantes menos
en el partido que el local.
¿Cuántos simpatizantes hay en el partido en total?

# 6 Tablas de multiplicación de 6, 7, 8 y 9

La piedra de Jenny cae en el número "3". Si usamos la tabla de multiplicación de 5, Jenny dirá que 3 por 5 es "15".

¿Qué número dirá Jenny si usamos la tabla de multiplicación de 6?

**Lecciones**

**IDEA IMPORTANTE**

▶ Se pueden usar muchos modelos para multiplicar.

# Recordar conocimientos previos

## La multiplicación como grupos iguales

3 doses = 3 grupos de 2

4 cincos = 4 grupos de 5

5 dieces = 5 grupos de 10

## La multiplicación como suma repetida

2 + 2 + 2 = 6

3 × 2 = 6

4 + 4 + 4 + 4 + 4 = 20

5 × 4 = 20

## La multiplicación como conteo salteado

Contar de 2 en 2

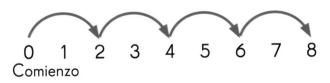

0  1  2  3  4  5  6  7  8

Comienzo

4 × 2 = 8

## Usar operaciones de multiplicación conocidas para hallar otras operaciones de multiplicación

$6 \times 3 =$ 5 grupos de 3 $+$ 1 grupo de 3

$\phantom{6 \times 3} = 15 + 3$

$\phantom{6 \times 3} = 18$

$8 \times 4 =$ 10 grupos de 4 $-$ 2 grupos de 4

$\phantom{8 \times 4} = 40 - 8$

$\phantom{8 \times 4} = 32$

## Multiplicar números en cualquier orden

$7 \times 5$ es igual que $5 \times 7$.

$7 \times 5 = 35$

Entonces, $5 \times 7 = 35$.

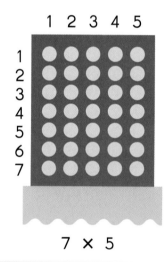
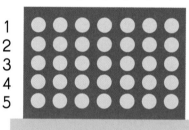

$7 \times 5$                          $5 \times 7$

## Repartir equitativamente para dividir

Divide 15 círculos entre 3 grupos iguales.
¿Cuántos círculos tiene cada grupo?

$15 \div 3 = 5$

Cada grupo tiene 5 círculos.

## Agrupar para dividir

Divide 12 círculos entre grupos de manera que cada grupo tenga 2 círculos.
¿Cuántos grupos hay?

$12 \div 2 = 6$

Hay 6 grupos.

## Usar operaciones de multiplicación relacionadas para dividir

$50 \div 5 = ?$

$10 \times 5 = 50$

Entonces, $50 \div 5 = 10$.

## Multiplicar y dividir en problemas cotidianos

1 Howard pone 4 sillas en una hilera. Hay 9 hileras.
¿Cuántas sillas hay en total?

$9 \times 4 = 36$

En total hay 36 sillas.

2 Shelly cocina 24 huevos. Pone 3 huevos en cada plato.
¿Cuántos platos usó?

$24 \div 3 = 8$

Usó 8 platos.

**Escribe los números que faltan.**

**1** ◯◯  ◯◯  ◯◯  ◯◯

4 doses = [ ] grupos de [ ]

**2**

[ ] + [ ] + [ ] + [ ] + [ ] = [ ] × 2

= [ ]

**Cuenta salteado. Escribe los números que faltan.**

**3** [ ] [ ] 9 12 [ ] [ ] 21 24 [ ] [ ]

**Escribe los números que faltan.**

**4** 8 × 2 = 10 grupos de 2 − [ ] grupos de 2

= [ ] − [ ]

= [ ]

**5**

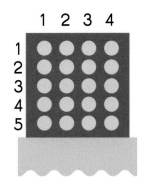

$$\boxed{\phantom{00}} \times \boxed{\phantom{00}} = 5 \times 4$$

$$= \boxed{\phantom{00}}$$

**6** $15 \div 3 = ?$

$$\boxed{\phantom{00}} \times 3 = 15$$

Entonces, $15 \div 3 = \boxed{\phantom{00}}$.

**7** $36 \div 4 = ?$

$$\boxed{\phantom{00}} \times 4 = 36$$

Entonces, $36 \div 4 = \boxed{\phantom{00}}$.

## Resuelve.

**8** Angie tiene 10 *pretzels*. Los pone en 2 bolsas equitativamente. ¿Cuántos *pretzels* hay en cada bolsa?

**9** Hay 20 estudiantes. En una camioneta hay asientos para 10 estudiantes. ¿Cuántas camionetas necesita la maestra Smith si quiere llevar a todos los estudiantes al parque?

**10** Sheena tiene 9 estuches para exponer mercadería en su tienda. Pone 10 pañuelos en cada estuche. ¿Cuántos pañuelos tiene Sheena?

**11** Andrew tiene 10 estudiantes. Le da 5 pelotas de tenis a cada uno. ¿Cuántas pelotas repartió en total?

# Propiedades de la multiplicación

## Objetivo de la lección

- Usar las propiedades de la multiplicación.

**Vocabulario**

| | |
|---|---|
| conteo salteado | propiedad conmutativa |
| papel punteado | propiedad asociativa |
| recta numérica | propiedad de multiplicación del uno |
| | propiedad de multiplicación del cero |

**Aprende**

## Usa rectas numéricas para multiplicar.

Esta **recta numérica** representa un salto de 3.

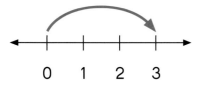

**conteo salteado**

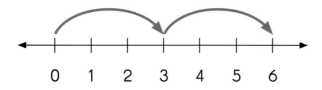

La recta numérica representa 1 grupo de 3 = 1 × 3

= 3.

Un salto de 3 representa 1 grupo de 3.

Esta recta numérica representa dos saltos de 3.

La recta numérica representa 2 grupos de 3 = 2 × 3

= 6.

2 saltos de 3 representan 2 grupos de 3.

En una recta numérica que representa una operación de multiplicación, los saltos representan el número de grupos iguales.

# Práctica con supervisión

## Observa cada recta numérica. Exprésalas como operaciones de multiplicación.

**1**

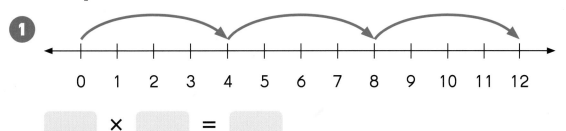

$$\boxed{\phantom{00}} \times \boxed{\phantom{00}} = \boxed{\phantom{00}}$$

**2**

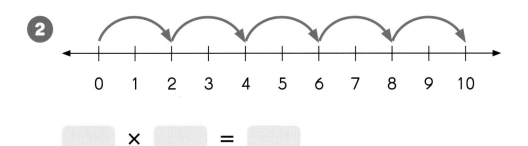

$$\boxed{\phantom{00}} \times \boxed{\phantom{00}} = \boxed{\phantom{00}}$$

## Expresa cada operación de multiplicación en una recta numérica.

**3** $6 \times 2 = 12$

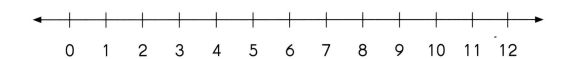

**4** $3 \times 5 = 15$

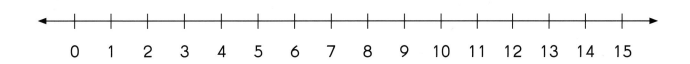

**TRABAJAR EN PAREJAS**

Muestra dos operaciones de multiplicación que den como resultado 24. Usa rectas numéricas como ayuda.

**Ejemplo**

$8 \times 3 = 24$

0 1 2 3 4 5 6 7 8 9 10 11 12 13 14 15 16 17 18 19 20 21 22 23 24

**1** [ ] × [ ] = 24

0 1 2 3 4 5 6 7 8 9 10 11 12 13 14 15 16 17 18 19 20 21 22 23 24

**2** [ ] × [ ] = 24

0 1 2 3 4 5 6 7 8 9 10 11 12 13 14 15 16 17 18 19 20 21 22 23 24

## Los números se pueden multiplicar en cualquier orden.

Con **papel punteado**

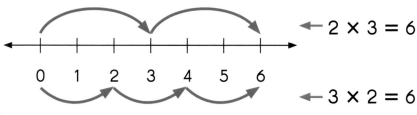

2 grupos de 3 ó 2 × 3          3 grupos de 2 ó 3 × 2

Con una recta numérica

← 2 × 3 = 6

0   1   2   3   4   5   6

← 3 × 2 = 6

Entonces, 2 × 3 = 3 × 2
                = 6.

Si se cambia el orden de los números en un enunciado de multiplicación, el resultado no se altera. Esto se denomina **propiedad conmutativa** de la multiplicación.

## Práctica con supervisión

### Escribe los números que faltan.

**5** 6 × 3 =          Entonces, 3 ×          =          .

**6** 8 × 5 =          Entonces, 5 ×          =          .

### Muestra que 5 × 3 = 15 y 3 × 5 = 15. Usa la siguiente recta numérica.

**7**

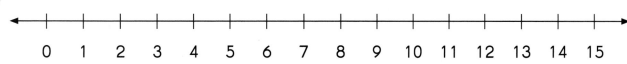

0   1   2   3   4   5   6   7   8   9   10   11   12   13   14   15

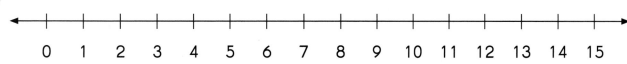

# Multiplica por 1.

## Con papel punteado

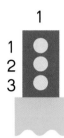

1

1
2
3

3 grupos de 1 ó 3 × 1

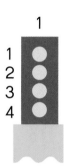

1

1
2
3
4

4 grupos de 1 ó 4 × 1

## Con una recta numérica

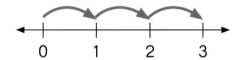

0    1    2    3

3 grupos de 1

3 × 1 = 3

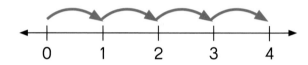

0    1    2    3    4

4 grupos de 1

4 × 1 = 4

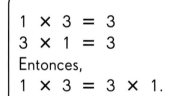

1 × 3 = 3
3 × 1 = 3
Entonces,
1 × 3 = 3 × 1.

1 × 4 = 4
4 × 1 = 4
Entonces,
1 × 4 = 4 × 1.

Cualquier número multiplicado por 1 es igual a ese número.
Esto se denomina **propiedad de multiplicación del uno**.

## Práctica con supervisión

### Observa cada recta numérica. Exprésalas como operaciones de multiplicación.

**8**

| | | |
|---|---|---|
| 0 | 1 | 2 | 3 | 4 | 5 | 6 |

$\boxed{\phantom{00}} \times \boxed{\phantom{00}} = \boxed{\phantom{00}}$

**9**

| | | |
|---|---|---|
| 0 | 1 | 2 | 3 | 4 | 5 | 6 |

$\boxed{\phantom{00}} \times \boxed{\phantom{00}} = \boxed{\phantom{00}}$

**10** Entonces, $1 \times 6 = 6 \times \boxed{\phantom{00}}$.

$= \boxed{\phantom{00}}$

### Escribe los números que faltan.

**11**

$1 \times \boxed{\phantom{00}} = 5$

$5 \times \boxed{\phantom{00}} = \boxed{\phantom{00}}$

## Completa los enunciados de multiplicación. Usa los siguientes números.

**4    4    5    5    1    1**

**12**  ⬜ × ⬜ = ⬜

**13**  ⬜ × ⬜ = ⬜

*Aprende*

### Multiplica por 0.

Hay 4 platos vacíos, lo que significa que hay 4 grupos de nada.

Entonces, $4 \times 0 = 0$.

$4 \times 0 = 0$
Entonces, $0 \times 4 = 0$.

Cualquier número multiplicado por 0 es igual a 0. Esto se denomina **propiedad de multiplicación del cero**.

## Práctica con supervisión

### Escribe los números que faltan.

**14**

⬜ × ⬜ = ⬜

⬜ × ⬜ = ⬜

**Escribe los números que faltan.**

**15** 0 × ▢ = ▢

**16** ▢ × ▢ = 0

Aprende

## Los números se pueden agrupar y multiplicar en cualquier orden.

2 × 2 × 5 = ?

*Método 1*

**Paso 1** Multiplica los dos primeros números.

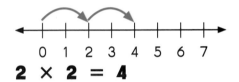

**2 × 2 = 4**

**Paso 2** Multiplica el último número por el resultado del paso 1.

**4** × 5 = 20

Entonces, **2 × 2** × 5 = **4** × 5

                       = 20.

Continúa

$2 \times 2 \times 5 = ?$

## Método 2

**Paso 1**   Multiplica los últimos dos números.

**2 × 5 = 10**

**Paso 2**   Multiplica el primer número por el resultado del paso 1.

$2 \times \mathbf{10} = 20$

Entonces, $2 \times \mathbf{2} \times \mathbf{5} = 2 \times \mathbf{10}$
$= 20.$

¿Qué observas en los resultados?

$\mathbf{2} \times \mathbf{2} \times 5 = 20$

$2 \times \mathbf{2} \times \mathbf{5} = 20$

Con ambos métodos, se obtiene el mismo resultado.

Si se cambia la manera en que se agrupan y multiplican los números en un enunciado de multiplicación, el resultado no se altera. Esto se denomina **propiedad asociativa** de la multiplicación.

# Práctica con supervisión

## Multiplica. Usa las siguientes rectas numéricas.

**17** 5 × 2 × 3 = ?

### *Método 1*

**Paso 1**   Multiplica los primeros dos números.

[ ]   ×   [ ]   =   [ ]

**Paso 2**   Multiplica el último número por el resultado del paso 1.

[ ]   ×   [ ]   =   [ ]

Entonces, **5** × **2** × 3 = [ ]   ×   [ ]

=   [ ] .

### *Método 2*

**Paso 1**   Multiplica los últimos dos números.

[ ]   ×   [ ]   =   [ ]

**Paso 2**   Multiplica el primer número por el resultado del paso 1.

[ ]   ×   [ ]   =   [ ]

Entonces, 5 × **2** × **3** = [ ]   ×   [ ]

=   [ ] .

**Completa.**

**Escribe los números que faltan. Usa los resultados del ejercicio 17 de la página 147.**

**18** [ ] $\times$ [ ] $\times$ [ ] = [ ] $\times$ [ ] $\times$ [ ]

[ ] $\times$ [ ] = [ ] $\times$ [ ]

= [ ]

**19** $4 \times 2 \times 2 = ?$

*Método 1*

**Paso 1**   $4 \times 2 =$ [ ]

**Paso 2**   [ ] $\times 2 =$ [ ]

*Método 2*

**Paso 1**   $2 \times 2 =$ [ ]

**Paso 2**   $4 \times$ [ ] $=$ [ ]

Entonces, $4 \times 2 \times 2 =$ [ ] .

**Escribe los números que faltan.**

**20** $8 \times 7 =$ [ ] $\times 2 \times 7$

**21** $5 \times 6 = 5 \times 3 \times$ [ ]

**22** [ ] $\times 3 \times$ [ ] $= 18$

**23** $2 \times$ [ ] $\times$ [ ] $= 32$

**Completa cada operación de multiplicación.**
**Luego, muéstralas en cada recta numérica.**

**1** 3 × 3 = [ ]

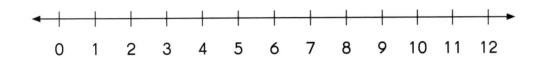

**2** 5 × 2 = [ ]

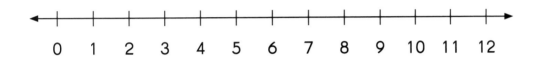

**Observa cada recta numérica. Luego, exprésalas**
**como operaciones de multiplicación.**

**3**

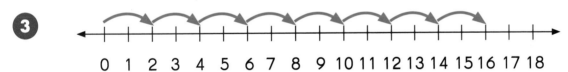

[ ] × [ ] = [ ]

**4**

[ ] × [ ] = [ ]

## Escribe los números que faltan.

**5** $5 \times \boxed{\phantom{00}} = \boxed{\phantom{00}} \times 5$

$\phantom{5 \times \boxed{00}} = 5$

**6** $\boxed{\phantom{00}} \times 1 = 1 \times \boxed{\phantom{00}}$

$\phantom{\boxed{00} \times 1} = 8$

**7** $\boxed{\phantom{00}} \times 7 = 7 \times \boxed{\phantom{00}}$

$\phantom{\boxed{00} \times 7} = 0$

**8** $6 \times 0 = \boxed{\phantom{00}} \times 6$

$\phantom{6 \times 0} = \boxed{\phantom{00}}$

**9** $2 \times 2 \times 3 = \boxed{\phantom{00}} \times \boxed{\phantom{00}}$

$\phantom{2 \times 2 \times 3} = \boxed{\phantom{00}}$

**10** $12 \times 3 = \boxed{\phantom{00}} \times 6 \times 3$

**11** $3 \times 8 = 3 \times 2 \times \boxed{\phantom{00}}$

**POR TU CUENTA**

**Ver Cuaderno de actividades A: Práctica 1, págs. 93 a 96**

# 6.2 Multiplicar por 6

## Objetivos de la lección

- Usar modelos de una matriz para comprender la multiplicación.
- Practicar operaciones de multiplicación por 6.

**Aprende** **Usa modelos de una matriz para representar operaciones de multiplicación.**

Jasper recorta 5 figuras.
Cuenta el número de lados de cada figura.
Cada figura tiene 6 lados.
¿Cuál es el número total de lados de las 5 figuras?

**columna**

1 2 3 4 5 6

**hilera** → 
1
2
3
4
5

$5 \times 6 = ?$
5 hileras de 6 = 30

Esta es una matriz.

Tiene 5 hileras de 6 puntos.

$5 \times 6 = 6 \times 5$
$= 30$

El número total de lados es 30.

$6 \times 5 = ?$
6 cincos $= 3$ dieces
Entonces, $6 \times 5 = 30$.

Un papel punteado es una **matriz**.
Los puntos están ordenados en hileras y columnas.
En la multiplicación, cada hilera tiene el mismo número de puntos.

# Práctica con supervisión

## Resuelve. Usa matrices como ayuda.

**1** Ricky tiene 10 escarabajos. Cada escarabajo tiene 6 patas.
¿Cuántas patas tienen en total todos los escarabajos?

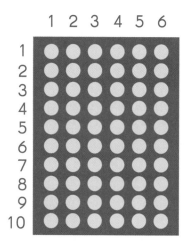

$10 \times 6 =$ ☐ $\times$ ☐

$=$ ☐

Los escarabajos tienen en total ☐ patas.

**2** Una flor tiene 6 pétalos.
Julia compra 4 flores.
¿Cuántos pétalos tiene Julia en total?

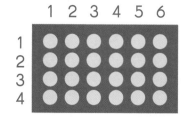

$4 \times 6 =$ ☐ $\times$ ☐

$=$ ☐

Julia tiene en total ☐ pétalos.

# Usa operaciones de multiplicación conocidas para hallar otras operaciones de multiplicación.

$7 \times 6 = ?$

Comienza con 5 grupos de 6.

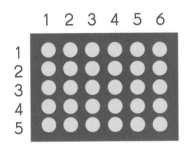

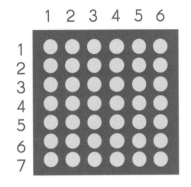

$5 \times 6 = 30$

$7 \times 6 = 5$ grupos de 6
$+ 2$ grupos de 6
$= 30 + 12$
$= 42$

$5 \times 6 = 6 \times 5$
$= 30$

$7 \times 6$ es igual que sumar 2 grupos de 6 a 5 grupos de 6.

Continúa

9 × 6 = ?

Comienza con 10 grupos de 6.

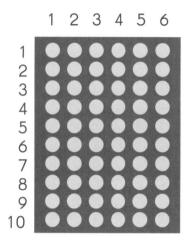

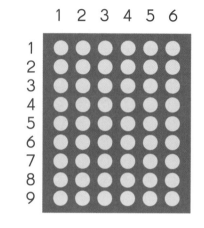

10 × 6 = 60

9 × 6 = 10 grupos de 6
        − 1 grupo de 6
      = 60 − 6
      = 54

10 × 6 = 6 × 10
       = 60

9 × 6 es igual que restar 1 grupo de 6 de 10 × 6.

# Práctica con supervisión

## Escribe los números que faltan. Usa matrices como ayuda.

**3** 6 × 6 = ?
Comienza con 5 grupos de 6.

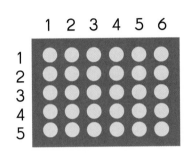

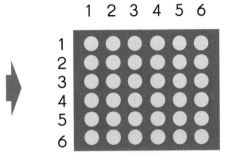

5 × 6 = ☐

6 × 6 = 5 grupos de 6
         + ☐ grupo de 6
       = 30 + ☐
       = ☐

**4** 8 × 6 = ?
Comienza con 10 grupos de 6.

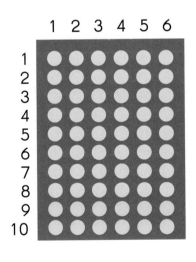

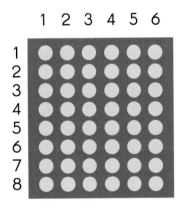

10 × 6 = ☐

8 × 6 = 10 grupos de 6
        − ☐ grupo de 6
      = 60 − ☐
      = ☐

# ¡El tren numérico!

Jugadores: 4 a 6
Materiales:
- figuras recortadas de trenes numéricos
- cubo numerado de 1 a 6
- tarjetas con números de 1 a 9

Cada jugador recibe un tren numérico como el que se muestra.

**PASO 1** El jugador 1 elige una tarjeta con números boca arriba, por ejemplo, la del número 2.

**PASO 2** El jugador 1 tira el cubo numerado para obtener otro número, por ejemplo, el número 6.
Luego, el jugador 1 multiplica los dos números.
2 × 6 = 12
Los otros jugadores comprueban el resultado.

**PASO 3** Si su resultado es correcto, el jugador 1 colorea el resultado en su tren numérico.
Si el resultado es correcto, pero no aparece en el tren, tira una segunda vez. Si el segundo resultado tampoco aparece en el tren, le toca el turno al próximo jugador.

**PASO 4** Los jugadores se turnan. Los jugadores obtienen un tiro extra cada vez que colorean un vagón completo de su tren.

¡El jugador que colorea primero todos los números de su tren gana!

## Tabla de multiplicación de 6

| | | | | |
|---|---|---|---|---|
| 1 | × | 6 | = | 6 |
| 2 | × | 6 | = | 12 |
| 3 | × | 6 | = | 18 |
| 4 | × | 6 | = | 24 |
| 5 | × | 6 | = | 30 |
| 6 | × | 6 | = | 36 |
| 7 | × | 6 | = | 42 |
| 8 | × | 6 | = | 48 |
| 9 | × | 6 | = | 54 |
| 10 | × | 6 | = | 60 |

## Practiquemos

**Completa cada patrón de conteo salteado.**

**1** 6  12  18

**2** 24  30  36

**Multiplica. Usa matrices como ayuda.**

**3** 5 × 6 =

**4** 6 × 6 =

**5** 7 × 6 =

**6** 8 × 6 =

**7** 9 × 6 =

**8** 10 × 6 =

**9** 3 × 6 =

**10** 5 × 6 =

**POR TU CUENTA**

**Ver Cuaderno de actividades A:
Práctica 2, págs. 97 a 100**

# Multiplicar por 7

## Objetivos de la lección

**Vocabulario**
modelo de área

- Usar modelos de área para comprender la multiplicación.
- Practicar operaciones de multiplicación por 7.

Aprende

## Usa modelos de área para representar operaciones de multiplicación.

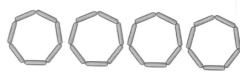

Tracy tiene algunos palitos planos.
Arma 4 figuras semejantes con ellos.
Usa 7 palitos planos para cada figura.

¿Cuántos palitos planos usa en total?

$4 \times 7 = ?$

Este es un **modelo de área**.

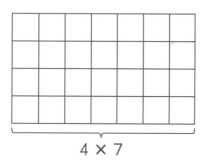

$4 \times 7$

$$4 \times 7 = 7 + 7 + 7 + 7$$
$$= 28$$

4 hileras de 7
$= 7 + 7 + 7 + 7$

Usa 28 palitos planos en total.

## Práctica con supervisión

### Resuelve. Usa modelos de área como ayuda.

**1** Judy tiene 3 vainas de arvejas.
Cada vaina contiene 7 arvejas.
¿Cuántas arvejas tiene Judy en total?

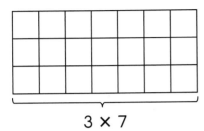

3 × 7

[ ] × [ ] = [ ] + [ ] + [ ]

= [ ]

Judy tiene en total [ ] arvejas.

**2** Allyson tiene 5 pulseras.
Cada pulsera tiene 7 cuentas.
¿Cuántas cuentas tiene Allyson en total?

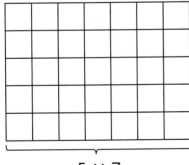

5 × 7

[ ] × [ ] = [ ] + [ ] + [ ] + [ ] + [ ]

= [ ]

Allyson tiene en total [ ] cuentas.

# Usa operaciones de multiplicación conocidas para hallar otras operaciones de multiplicación.

$6 \times 7 = ?$

Comienza con 5 grupos de 7.

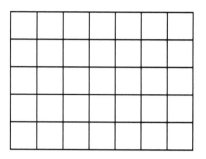

$5 \times 7 = 35$

$6 \times 7 = 5$ grupos de $7 + 1$ grupo de 7

$= 35 + 7$

$= 42$

$5 \times 7 = 7 \times 5$
$= 35$

$6 \times 7$ es igual que sumar 1 grupo de 7 a $5 \times 7$.

$10 \times 7 = 7 \times 10$
$= 70$

$9 \times 7$ es igual que restar 1 grupo de 7 de $10 \times 7$.

$9 \times 7 = ?$

Comienza con 10 grupos de 7.

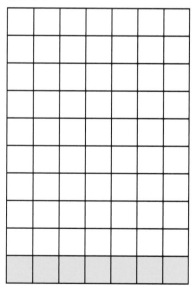

$10 \times 7 = 70$

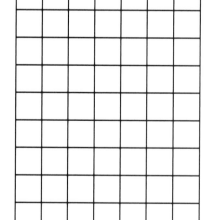

$9 \times 7 = 10$ grupos de $7 - 1$ grupo de 7

$= 70 - 7$

$= 63$

# Práctica con supervisión

**Escribe los números que faltan. Usa modelos de área como ayuda.**

**③** $7 \times 7 = ?$
Comienza con 5 grupos de 7.

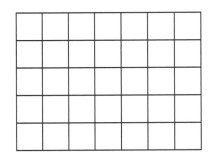  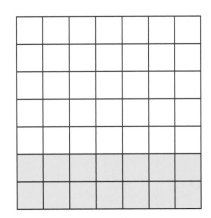

$5 \times 7 = $ ____

$7 \times 7 = 5$ grupos de 7 $+$ ____ grupos de 7

$= 35 + $ ____

$= $ ____

**④** $8 \times 7 = ?$
Comienza con 10 grupos de 7.

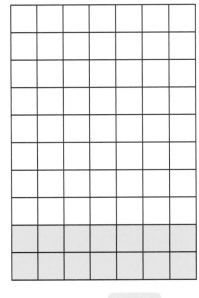  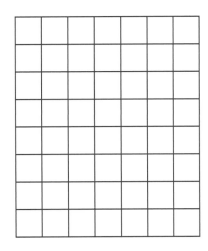

$10 \times 7 = $ ____

$8 \times 7 = 10$ grupos de 7 $-$ ____ grupos de 7

$= $ ____ $- $ ____

$= $ ____

## Tabla de multiplicación de 7

| | | | | |
|---|---|---|---|---|
| 1 | × | 7 | = | 7 |
| 2 | × | 7 | = | 14 |
| 3 | × | 7 | = | 21 |
| 4 | × | 7 | = | 28 |
| 5 | × | 7 | = | 35 |
| 6 | × | 7 | = | 42 |
| 7 | × | 7 | = | 49 |
| 8 | × | 7 | = | 56 |
| 9 | × | 7 | = | 63 |
| 10 | × | 7 | = | 70 |

# Practiquemos

## Completa cada patrón de conteo salteado.

**1** 7   14   21

**2** 28   35   42

## Multiplica.

**3** 4 × 7 =

**4** 5 × 7 =

**5** 6 × 7 =

**6** 8 × 7 =

**7** 9 × 7 =

**8** 10 × 7 =

POR TU CUENTA

Ver Cuaderno de actividades A:
Práctica 3, págs. 101 a 104

# Multiplicar por 8

## Objetivos de la lección

- Usar rectas numéricas y modelos de área para comprender la multiplicación.
- Practicar operaciones de multiplicación por 8.

## Aprende Usa rectas numéricas para mostrar operaciones de multiplicación.

En el acuario, Héctor ve 3 pulpos.
Cada pulpo tiene 8 tentáculos.
¿Cuántos tentáculos tienen los pulpos en total?

> 3 grupos de 8 tentáculos
> = 3 × 8

3 saltos de 8 representan 3 grupos de 8.

Entonces, 3 × 8 = 24.

> También puedo mostrar
> 3 × 8 de otra manera.
> 8 grupos de 3 = 8 × 3

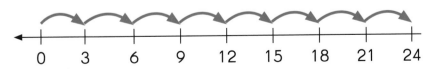

8 saltos de 3 representan 8 grupos de 3.

Entonces, 8 × 3 = 24.

## Práctica con supervisión

**Observa la recta numérica. Luego, exprésala como una operación de multiplicación.**

**1**

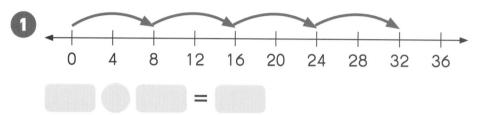

0   4   8   12   16   20   24   28   32   36

[   ] ● [   ] = [   ]

**Expresa la operación de multiplicación en la recta numérica. Luego, complétala.**

**2**

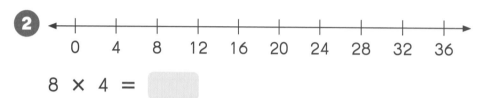

0   4   8   12   16   20   24   28   32   36

$8 \times 4 = $ [   ]

**Aprende** **Usa operaciones de multiplicación conocidas para hallar otras operaciones de multiplicación.**

Kathy tiene 6 arañas. Cada araña tiene 8 patas.
¿Cuántas patas tienen las arañas en total?

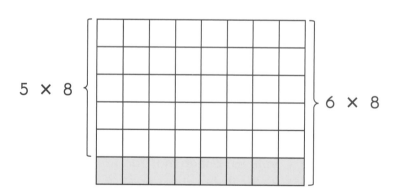

$5 \times 8$          $6 \times 8$

$6 \times 8 = 5$ grupos de $8 + 1$ grupo de $8$
$\quad\quad\ = 40 + 8$
$\quad\quad\ = 48$

Las arañas tienen en total 48 patas.

$5 \times 8 = 8 \times 5$
$\quad\quad\ = 40$
$6 \times 8$ es igual que sumar 1 grupo de 8 a $5 \times 8$.

# Práctica con supervisión

## Resuelve. Usa modelos de área como ayuda.

**3** Lily tiene 7 paquetes de platos de papel.
Cada paquete contiene 8 platos de papel.
¿Cuántos platos de papel tiene Lily en total?

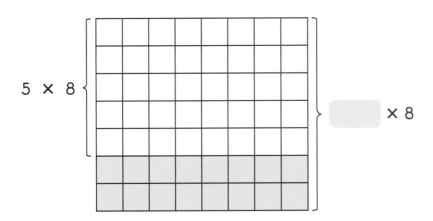

$7 \times 8 =$ 5 grupos de 8 $+$ ⬚ grupos de 8

$= 40 +$ ⬚

$=$ ⬚

Lily tiene en total ⬚ platos de papel.

$5 \times 8 = 8 \times 5$
$= 40$
$7 \times 8$ es igual que sumar 2 grupos de 8 a $5 \times 8$.

# ¡A multiplicar!

Jugadores: **4 a 6**
Materiales:
- hojas de anotaciones
- tarjetas con números con los dígitos de 1 a 9
- tarjetas multiplicadoras con los números de 6 a 8

Cada jugador usa una hoja de anotaciones.

| X | 1 | 2 | 3 | 4 | 5 | 6 | 7 | 8 | 9 |
|---|---|---|---|---|---|---|---|---|---|
| 8 | | | | | | | | | |
| 7 | | | | | | | | | |
| 6 | | | | | | | | | |

**PASO 1** El jugador 1 saca una tarjeta con números y una tarjeta multiplicadora.

**PASO 2** El jugador 1 multiplica el número de la tarjeta con números por el número de la tarjeta multiplicadora. Los otros jugadores comprueban el resultado.

$6 \times 8 = 48$

**PASO 3** El jugador 1 escribe el resultado en la casilla correspondiente de la hoja de anotaciones.
Si el resultado es incorrecto, el jugador no lo escribe en la hoja de anotaciones.

| X | 1 | 2 | 3 | 4 | 5 | 6 | 7 | 8 | 9 |
|---|---|---|---|---|---|---|---|---|---|
| 8 | | | | | | 48 | | | |
| 7 | | | | | | | | | |
| 6 | | | | | | | | | |

**PASO 4** Se devuelven las tarjetas y se mezclan. Los jugadores se turnan para jugar.

¡El primer jugador que completa una hilera de su hoja de anotaciones gana!

## Tabla de multiplicación de 8

| | | | | |
|---|---|---|---|---|
| 1 | × | 8 | = | 8 |
| 2 | × | 8 | = | 16 |
| 3 | × | 8 | = | 24 |
| 4 | × | 8 | = | 32 |
| 5 | × | 8 | = | 40 |
| 6 | × | 8 | = | 48 |
| 7 | × | 8 | = | 56 |
| 8 | × | 8 | = | 64 |
| 9 | × | 8 | = | 72 |
| 10 | × | 8 | = | 80 |

## Practiquemos

**Completa cada patrón de conteo salteado.**

**1** 8   16   24

**2** 32   40   48

**Multiplica.**

**3** 6 × 8 =

**4** 7 × 8 =

**5** 9 × 8 =

**6** 10 × 8 =

POR TU CUENTA

Ver Cuaderno de actividades A:
Práctica 4, págs. 105 a 108

## Lección 6.5 Multiplicar por 9

### Objetivos de la lección

- Usar modelos de una matriz y modelos de área para comprender la multiplicación.
- Practicar operaciones de multiplicación por 9.

### Aprende Usa modelos de una matriz para representar operaciones de multiplicación.

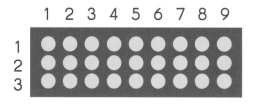

Susana arma un grupo de 9 pajillas atándolas entre sí.

Arma 3 grupos de pajillas iguales.

¿Cuántas pajillas tiene en total?

Observa las matrices.

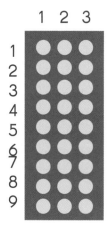

3 grupos de 9 pajillas
= 3 × 9

3 × 9 = 9 × 3
También puedo mostrar la matriz así: 9 × 3.

9 × 3 = 27

Entonces, 3 × 9 = 27.

Tiene en total 27 pajillas.

# Práctica con supervisión

**Observa la matriz. Luego, exprésala como una operación de multiplicación.**

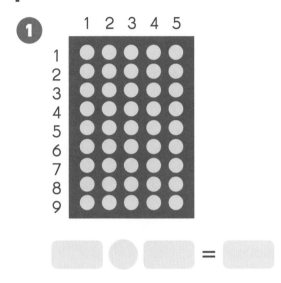

**①**

$$\boxed{\phantom{xx}} \bullet \boxed{\phantom{xx}} = \boxed{\phantom{xx}}$$

**Muestra 5 × 9 en la matriz. Luego, exprésala como una operación de multiplicación.**

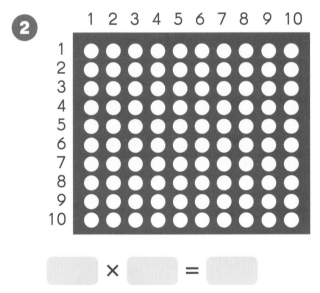

**②**

$$\boxed{\phantom{xx}} \times \boxed{\phantom{xx}} = \boxed{\phantom{xx}}$$

**Aprende**

# Usa modelos de área y operaciones de multiplicación conocidas para hallar otras operaciones de multiplicación.

$4 \times 9 = ?$

$4 \times 9 = 9 \times 4$

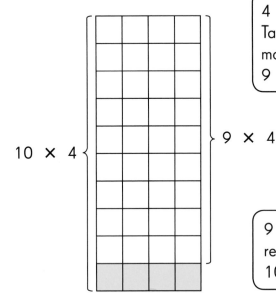

$10 \times 4$ {

} $9 \times 4$

$4 \times 9 = 9 \times 4$
También puedo mostrar el modelo de área así: $9 \times 4$.
$9 \times 4 = 36$

$9 \times 4$ es igual que restar 1 grupo de 4 de $10 \times 4$.

$9 \times 4 = 10$ grupos de $4 - 1$ grupo de 4
$= 40 - 4$
$= 36$

Entonces, $4 \times 9 = 36$.

$5 \times 9 = ?$

$5 \times 9 = 9 \times 5$

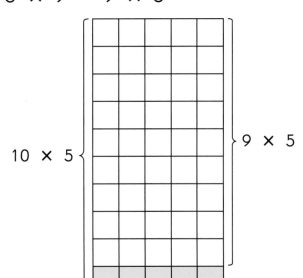

$10 \times 5$ {

} $9 \times 5$

$5 \times 9 = 9 \times 5$
Puedo mostrar el modelo de área así:
$9 \times 5$.
$9 \times 5 = 45$

$9 \times 5 = 10$ grupos de $5 - 1$ grupo de 5
$= 50 - 5$
$= 45$

Entonces, $5 \times 9 = 45$.

¿Observas un patrón?

9 multiplicado por cualquier número es 10 veces el número menos el número.

## Práctica con supervisión

## Resuelve. Usa modelos de área como ayuda.

**3** $6 \times 9 = ?$

$6 \times 9 = 9 \times 6$

$9 \times 6 = 10$ grupos de $6 - $ ____ grupo de 6

$= 60 - $ ____

$= $ ____

Entonces, $6 \times 9 = $ ____ .

$10 \times 6$ {

$9 \times 6$

## Resuelve.

**4** El señor Leeson tiene 8 espejos.
Cada espejo tiene 9 lados.
¿Cuántos lados tienen los espejos en total?

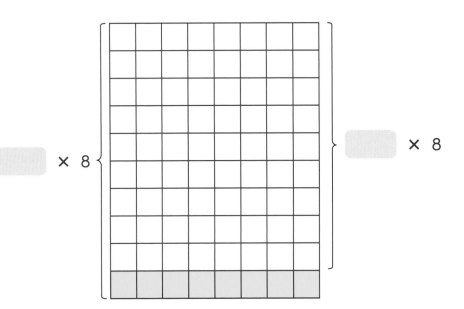

$8 \times 9 = 9 \times 8$

$9 \times 8 = 10$ grupos de 8 $-$ [ ] grupo de 8

$= 80 -$ [ ]

$=$ [ ]

8 espejos tienen en total [ ] lados.

## Cuenta con los dedos para mostrar operaciones de multiplicación por 9.

Aprende

$1 \times 9 = 9$

$2 \times 9 = 18$

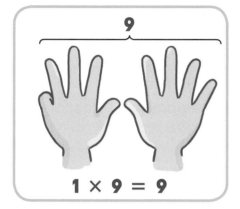

**1 × 9 = 9**

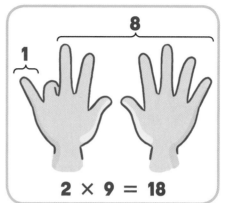

**2 × 9 = 18**

$3 \times 9 = 27$

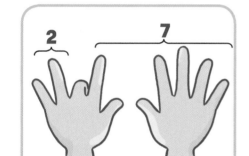

**3 × 9 = 27**

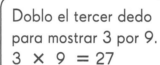

Doblo el tercer dedo para mostrar 3 por 9.
$3 \times 9 = 27$

## Práctica con supervisión

### Multiplica. Cuenta con los dedos.

**5** $5 \times 9 = $ ⬜

**6** $9 \times 9 = $ ⬜

**TRABAJAR EN GRUPO** **Juego**

# ¡Alcanza la cima!

Cada jugador elige un camino en el tablero numérico.

 **PASO 1** Cada jugador coloca una ficha en el primer espacio vacío de su camino.

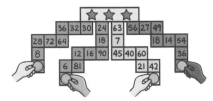

 **PASO 2** El jugador 1 saca una tarjeta de pregunta y la responde. Por ejemplo, $5 \times 6 = 30$ Los otros jugadores comprueban el resultado.

 **PASO 3** El jugador 1 coloca una ficha en el resultado si el número aparece en su camino.

Si el número no aparece en su camino o el resultado es incorrecto, el jugador 1 no coloca ninguna ficha en el tablero.

 **PASO 4** Los jugadores se turnan. No se deben devolver las tarjetas a la pila después de cada jugada.

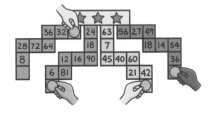

¡El primer jugador que alcanza la cima al cubrir todo el camino con fichas gana!

## Tabla de multiplicación de 9

| | | | | |
|---|---|---|---|---|
| 1 | × | 9 | = | 9 |
| 2 | × | 9 | = | 18 |
| 3 | × | 9 | = | 27 |
| 4 | × | 9 | = | 36 |
| 5 | × | 9 | = | 45 |
| 6 | × | 9 | = | 54 |
| 7 | × | 9 | = | 63 |
| 8 | × | 9 | = | 72 |
| 9 | × | 9 | = | 81 |
| 10 | × | 9 | = | 90 |

## Practiquemos

**Completa cada patrón de conteo salteado.**

**1** 9  18  27  ☐  ☐  ☐

**2** 36  45  54  ☐  ☐  ☐

**Multiplica. Usa cualquier método.**

**3** 2 × 9 = ☐

**4** 7 × 9 = ☐

**5** 5 × 9 = ☐

**6** 4 × 9 = ☐

**7** 6 × 9 = ☐

**8** 3 × 9 = ☐

**POR TU CUENTA**

**Ver Cuaderno de actividades A:
Práctica 5, págs. 109 a 112**

# 6.6

# División: Hallar el número de elementos que hay en cada grupo

**Vocabulario**
grupos iguales

## Objetivos de la lección

- Dividir para hallar el número de elementos que hay en cada grupo.
- Comprender las operaciones de multiplicación y división relacionadas.
- Escribir enunciados de división para representar problemas cotidianos.

**Aprende**

**Divide para hallar el número de elementos que hay en cada grupo usando operaciones de multiplicación relacionadas.**

Divide 42 cubos entre 6 **grupos iguales**.
¿Cuántos cubos tiene cada grupo?

Piensa en una operación de multiplicación relacionada.

6 × 7 = 42

Entonces, 42 ÷ 6 = 7.

Cada grupo tiene 7 cubos.

## Práctica con supervisión

### Resuelve. Usa operaciones de multiplicación relacionadas como ayuda.

**1** Divide 48 canicas entre 8 grupos iguales.
¿Cuántas canicas tiene cada grupo?

$8 \times 6 = 48$

Entonces, $48 \div 8 = \boxed{\phantom{00}}$.

Cada grupo tiene $\boxed{\phantom{00}}$ canicas.

Piensa en una operación de multiplicación relacionada.

**2** Divide 35 vasos equitativamente entre 7 bandejas.
¿Cuántos vasos tiene cada bandeja?

## Practiquemos

### Escribe los números que faltan.

**1** $8 \times \boxed{\phantom{00}} = 56$    Entonces, $56 \div 8 = \boxed{\phantom{00}}$.

**2** $7 \times \boxed{\phantom{00}} = 49$    Entonces, $49 \div 7 = \boxed{\phantom{00}}$.

### Expresa dos enunciados de división para cada enunciado de multiplicación.

**3** $9 \times 4 = 36$ $\boxed{\phantom{00}}$

**4** $5 \times 7 = 35$ $\boxed{\phantom{00}}$

### Resuelve. Usa operaciones de multiplicación relacionadas como ayuda.

**5** Divide 48 cuentas entre 8 recipientes iguales.
¿Cuántas cuentas tiene cada recipiente?

**POR TU CUENTA**

**Ver Cuaderno de actividades A:
Práctica 6, págs. 113 a 114**

# 6.7 División: Formar grupos iguales

## Objetivos de la lección

- Dividir para hallar el número de grupos.
- Comprender las operaciones de multiplicación y división relacionadas.
- Escribir enunciados de división para representar problemas cotidianos.

**Aprende** **Divide para formar grupos iguales usando las operaciones de multiplicación relacionadas.**

Divide 56 estrellas entre grupos iguales.
Cada grupo tiene 8 estrellas.
¿Cuántos grupos se forman?

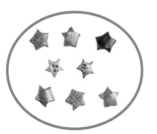  

> Piensa en una operación de multiplicación relacionada.

$7 \times 8 = 56$
Entonces, $56 \div 8 = 7$.
Se forman 7 grupos.

# Práctica con supervisión

## Resuelve. Usa operaciones de multiplicación relacionadas como ayuda.

**1** Divide 54 galletas entre platos iguales de 6 galletas.
¿Cuántos platos se necesitan?

$\boxed{\phantom{00}} \times 6 = 54$

Entonces, $54 \div 6 = \boxed{\phantom{00}}$.

Se necesitan $\boxed{\phantom{00}}$ platos.

> Piensa en una operación de multiplicación relacionada.

**2** Jim guarda 63 lápices en cajas iguales.
Cada caja contiene 9 lápices.
¿Cuántas cajas usó Jim?

 **Manos a la obra**

**TRABAJAR EN PAREJAS**

Cuenta un cuento de división donde se dividan objetos entre grupos de 6, 7, 8 ó 9.
Pide a un compañero que lo resuelva.

### Ejemplo

Benny tiene que guardar 36 animales de peluche en cajas.
Pone 9 animales de peluche en cada caja.

¿Cuántas cajas usó Benny?

$36 \div 9 = 4$

Benny usa 4 cajas.

## Practiquemos

**Escribe los números que faltan.**

**1**  [ ] × 7 = 28

Entonces, 28 ÷ 7 = [ ] .

**2**  [ ] × 8 = 48

Entonces, 48 ÷ 8 = [ ] .

**Expresa dos enunciados de división para cada enunciado de multiplicación.**

**3**  6 × 9 = 54  [ ]

**4**  7 × 6 = 42  [ ]

**Divide. Usa operaciones de multiplicación relacionadas como ayuda.**

**5**  36 ÷ 6 = [ ]

**6**  63 ÷ 7 = [ ]

**7**  40 ÷ 8 = [ ]

**8**  72 ÷ 9 = [ ]

**Resuelve. Usa operaciones de multiplicación relacionadas como ayuda.**

**9**  Betty pone 9 pasas en un pastelito.
Usa 45 pasas en total.
¿En cuántos pastelitos puso pasas?

**10**  Shona recoge 32 hojas.
Pega 8 hojas en cada página de su álbum de recortes.
¿Cuántas páginas del álbum llenó?

POR TU CUENTA

**Ver Cuaderno de actividades A:**
**Práctica 7, pág. 115**

# ¡Ponte la gorra de pensar!

## RESOLUCIÓN DE PROBLEMAS

### Halla los números.

#### Ejemplo

Tengo un número.
Cuando multiplico el número por 9, la respuesta es 72.
¿Cuál es el número?

Divido 72 entre 9.
$72 \div 9 = 8$

El número es 8.

Puedo trabajar de atrás para adelante para hallar la respuesta.

Divido porque es lo opuesto de multiplicar.

1. Tengo dos números.
   Cuando multiplico cada número por 8, el resultado de ambos es menor que 60 pero mayor que 45.
   ¿Cuáles son los números?

2. Crea tu propia adivinanza de multiplicación o división y pide a un compañero que la resuelva.

**POR TU CUENTA**

**Ver Cuaderno de actividades A:
¡Ponte la gorra de pensar!,
págs. 117 a 118**

# Resumen del capítulo

## Guía de estudio

### Has aprendido...

**Tablas de multiplicación de 6, 7, 8 y 9**

**Propiedades de la multiplicación**

### Propiedad conmutativa

Si se cambia el orden de los números en un enunciado de multiplicación, el resultado no se altera.

**Ejemplo**

$4 \times 5 = 20$
$5 \times 4 = 20$

Entonces, $4 \times 5 = 5 \times 4$
$= 20$.

### Propiedad de multiplicación del uno

Cualquier número multiplicado por 1 es igual a ese número.

**Ejemplo**

$1 \times 6 = 6$
$6 \times 1 = 6$

$1 \times 9 = 9$
$9 \times 1 = 9$

### Propiedad de multiplicación del cero

Cualquier número multiplicado por 0 es igual a 0.

**Ejemplo**

$5 \times 0 = 0$
$0 \times 5 = 0$

$8 \times 0 = 0$
$0 \times 8 = 0$

### Propiedad asociativa

Si se cambia la manera en que se agrupan y multiplican los númer en un enunciado de multiplicación, el resultado no se altera.

**Ejemplo**

$\mathbf{2 \times 3} \times 3 = \mathbf{6} \times 3$
$= 18$
$2 \times \mathbf{3 \times 3} = 2 \times \mathbf{9}$
$= \mathbf{18}$

Con ambos métodos se obtiene el mismo resultado.

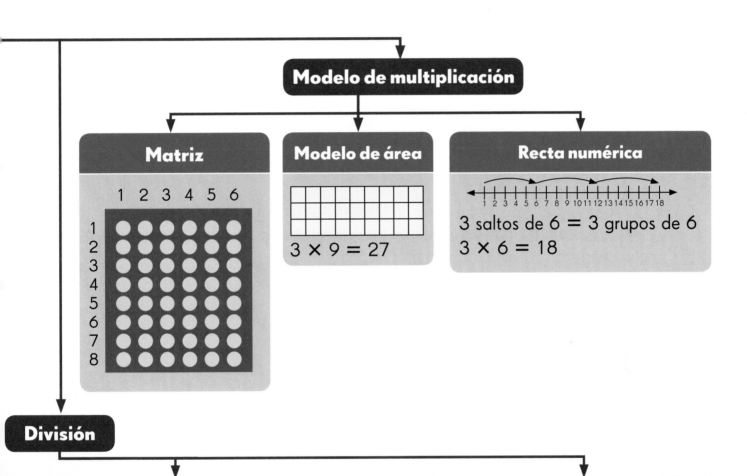

## Modelo de multiplicación

### Matriz

### Modelo de área

$3 \times 9 = 27$

### Recta numérica

3 saltos de 6 = 3 grupos de 6

$3 \times 6 = 18$

## División

### Dividir para hallar el número de elementos en cada grupo

Julia divide 56 flores equitativamente entre 7 floreros.

¿Cuántas flores tiene cada florero?

$7 \times 8 = 56$

$56 \div 7 = 8$

Cada florero tiene 8 flores.

### Dividir para formar grupos iguales

Abel divide 36 pelotas entre grupos iguales. Hay 9 pelotas en cada grupo.

¿Cuántos grupos de pelotas formó Abel?

$4 \times 9 = 36$

$36 \div 9 = 4$

Abel formó 4 grupos de pelotas.

# Repaso/Prueba del capítulo

## Vocabulario
## Elige la palabra correcta.

| conmutativa |
|---|
| asociativa |
| matriz |
| división |
| saltos |
| iguales |

**1** Cuando usamos una recta numérica para multiplicar, el número de _____ representa el número de grupos iguales.

**2** Cuando los elementos están divididos entre grupos _____, iguales el número de elementos en cada grupo es el mismo.

**3** La propiedad _____ establece que cambiar el orden de los números en un enunciado de multiplicación no altera el resultado.

**4** La propiedad _____ establece que cambiar la manera en que se agrupan y multiplican los números en un enunciado de multiplicación no altera el resultado.

## Conceptos y destrezas
## Halla la matriz que muestra 2 × 5.

**5**

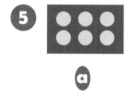

a

b

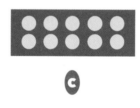

c

**Escribe el número que falta. Elige el modelo de área correcto.**

**6** 7 × 9 = [ ]

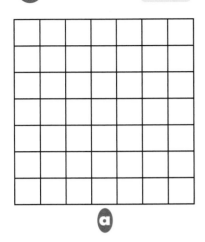

a

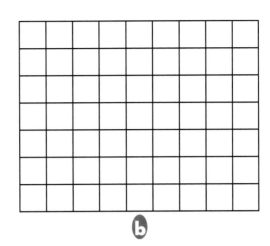

b

**Expresa la operación de multiplicación del ejercicio 6 de otra manera. Elige el modelo de área correcto.**

**7** [ ] × [ ] = [ ]

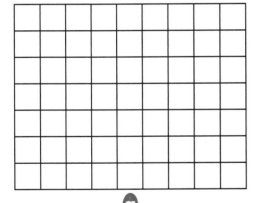

a

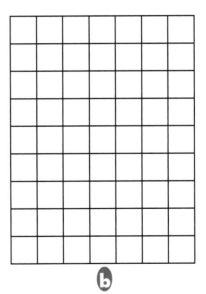

b

**Observa la recta numérica. Luego, exprésala como una operación de multiplicación.**

**8**

1    3    6    9    12    15    18

[ ] × [ ] = [ ]

**Expresa el enunciado de multiplicación del ejercicio 8 de otra manera. Usa la recta numérica proporcionada.**

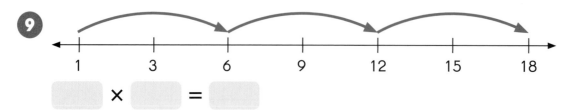

**9**

$$\boxed{\phantom{xx}} \times \boxed{\phantom{xx}} = \boxed{\phantom{xx}}$$

## Multiplica.

**10** $2 \times 6 =$ ▢

**11** $3 \times 7 =$ ▢

**12** $5 \times 9 =$ ▢

**13** $5 \times 8 =$ ▢

**14** $6 \times 7 =$ ▢

**15** $8 \times 1 =$ ▢

**16** $0 \times 5 =$ ▢

**17** $10 \times 9 =$ ▢

## Escribe los números que faltan.

**18** $5 \times 1 \times 9 =$ ▢ $\times 9$

$= $ ▢

**19** $8 \times 5 \times 2 = 8 \times$ ▢

$= $ ▢

**20** $5 \times 6 =$ ▢

▢ $\div 6 = 5$

**21** $7 \times$ ▢ $= 28$

$28 \div 7 =$ ▢

**22** ▢ $\times 9 = 72$

$72 \div 9 =$ ▢

**23** $80 \div$ ▢ $= 8$

▢ $\times 8 = 80$

## Resolución de problemas
## Resuelve.

**24** El señor Johnson tiene 7 gatas. Cada gata tiene 6 gatitos. ¿Cuántos gatitos tiene el señor Johnson?

**25** Martín tiene 81 ovejas. Divide sus ovejas equitativamente entre 9 corrales. ¿Cuántas ovejas hay en cada corral?

**26** Ellen tiene 63 cerezas. Pone 7 cerezas en cada tazón. ¿Cuántos tazones usó?

# Multiplicación

## ¡Juguemos con arañas!

**Ingredientes:**
*pretzel*
galletas
miel
pasas

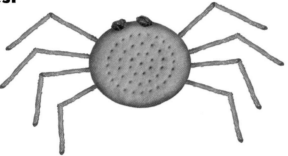

**Cuerpo:** Usa galletas.

**Patas:** Usa ocho palitos de *pretzel* de 6 centímetros. Pega con miel cuatro palitos a cada lado de las galletas.

**Ojos:** Usa dos pasas pequeñas. Pégalas con miel en la parte de arriba de las galletas.

Quiebra cada *pretzel* para que las patas parezcan articuladas.

¿Cuántas patas tiene una araña? Quiero hacer 5 arañas. ¿Cuántos palitos de *pretzel* necesito para las patas?

**Lecciones**

**7.1** Multiplicación mental

**7.2** Multiplicar sin reagrupación

**7.3** Multiplicar con reagrupación

## IDEA IMPORTANTE

▶ Se puede usar el cálculo mental para multiplicar.

▶ Los números de hasta 3 dígitos se pueden multiplicar con o sin reagrupación.

# Recordar conocimientos previos

## La multiplicación como suma repetida

$7 + 7 + 7 + 7 + 7 + 7 = 42$

$6 \times 7 = 42$

$10 + 10 + 10 = 30$

$3 \times 10 = 30$

## La multiplicación como conteo salteado

Contar de 3 en 3

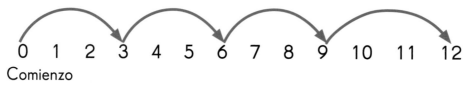

0  1  2  3  4  5  6  7  8  9  10  11  12

Comienzo

$4 \times 3 = 12$

## Tablas de multiplicación de 2, 3, 4 y 5

| | | | |
|---|---|---|---|
| $1 \times 2 = 2$ | $1 \times 3 = 3$ | $1 \times 4 = 4$ | $1 \times 5 = 5$ |
| $2 \times 2 = 4$ | $2 \times 3 = 6$ | $2 \times 4 = 8$ | $2 \times 5 = 10$ |
| $3 \times 2 = 6$ | $3 \times 3 = 9$ | $3 \times 4 = 12$ | $3 \times 5 = 15$ |
| $4 \times 2 = 8$ | $4 \times 3 = 12$ | $4 \times 4 = 16$ | $4 \times 5 = 20$ |
| $5 \times 2 = 10$ | $5 \times 3 = 15$ | $5 \times 4 = 20$ | $5 \times 5 = 25$ |
| $6 \times 2 = 12$ | $6 \times 3 = 18$ | $6 \times 4 = 24$ | $6 \times 5 = 30$ |
| $7 \times 2 = 14$ | $7 \times 3 = 21$ | $7 \times 4 = 28$ | $7 \times 5 = 35$ |
| $8 \times 2 = 16$ | $8 \times 3 = 24$ | $8 \times 4 = 32$ | $8 \times 5 = 40$ |
| $9 \times 2 = 18$ | $9 \times 3 = 27$ | $9 \times 4 = 36$ | $9 \times 5 = 45$ |
| $10 \times 2 = 20$ | $10 \times 3 = 30$ | $10 \times 4 = 40$ | $10 \times 5 = 50$ |

## Tablas de multiplicación de 6, 7, 8, 9 y 10

| | | | | |
|---|---|---|---|---|
| 1 × 6 = 6 | 1 × 7 = 7 | 1 × 8 = 8 | 1 × 9 = 9 | 1 × 10 = 10 |
| 2 × 6 = 12 | 2 × 7 = 14 | 2 × 8 = 16 | 2 × 9 = 18 | 2 × 10 = 20 |
| 3 × 6 = 18 | 3 × 7 = 21 | 3 × 8 = 24 | 3 × 9 = 27 | 3 × 10 = 30 |
| 4 × 6 = 24 | 4 × 7 = 28 | 4 × 8 = 32 | 4 × 9 = 36 | 4 × 10 = 40 |
| 5 × 6 = 30 | 5 × 7 = 35 | 5 × 8 = 40 | 5 × 9 = 45 | 5 × 10 = 50 |
| 6 × 6 = 36 | 6 × 7 = 42 | 6 × 8 = 48 | 6 × 9 = 54 | 6 × 10 = 60 |
| 7 × 6 = 42 | 7 × 7 = 49 | 7 × 8 = 56 | 7 × 9 = 63 | 7 × 10 = 70 |
| 8 × 6 = 48 | 8 × 7 = 56 | 8 × 8 = 64 | 8 × 9 = 72 | 8 × 10 = 80 |
| 9 × 6 = 54 | 9 × 7 = 63 | 9 × 8 = 72 | 9 × 9 = 81 | 9 × 10 = 90 |
| 10 × 6 = 60 | 10 × 7 = 70 | 10 × 8 = 80 | 10 × 9 = 90 | 10 × 10 = 100 |

## Multiplicar números en cualquier orden

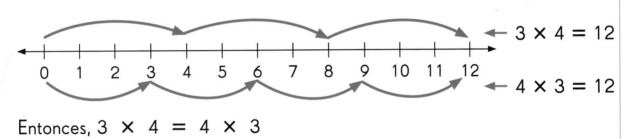

3 × 4 = 12

4 × 3 = 12

Entonces, 3 × 4 = 4 × 3
= 12.

## Usar operaciones de multiplicación conocidas para hallar otras operaciones de multiplicación

6 × 7 = 5 grupos de 7 + 1 grupo de 7
= 35 + 7
= 42

9 × 7 = 10 grupos de 7 − 1 grupo de 7
= 70 − 7
= 63

# Recordar conocimientos previos

**Multiplicar por 0**

Cualquier número multiplicado por 0 es igual a 0.

$0 \times 10 = 0$     $4 \times 0 = 0$

**Multiplicar por 1**

Cualquier número multiplicado por 1 es igual a sí mismo.

$1 \times 3 = 3$     $7 \times 1 = 7$

## ✔Repaso rápido

**Escribe los números que faltan.**

1  $4 + 4 + 4 + 4 + 4 = \boxed{\phantom{00}} \times 4$

   $= \boxed{\phantom{00}}$

2

5     10     ☐     ☐     25     30     35     40     ☐     ☐

**Escribe los números que faltan.**

3  $7 \times 5 = \boxed{\phantom{00}}$

   Entonces, $5 \times 7 = \boxed{\phantom{00}}$.

**Escribe los números que faltan.**

4  $7 \times 8 = 5$ grupos de $8 + \boxed{\phantom{00}}$ grupos de 8

   $= 40 + \boxed{\phantom{00}}$

   $= \boxed{\phantom{00}}$

5  $8 \times 6 = 10$ grupos de $6 - \boxed{\phantom{00}}$ grupos de 6

   $= 60 - \boxed{\phantom{00}}$

   $= \boxed{\phantom{00}}$

**Multiplica.**

6  $7 \times 9 = \boxed{\phantom{00}}$     7  $7 \times 7 = \boxed{\phantom{00}}$     8  $9 \times 6 = \boxed{\phantom{00}}$

# 7.1 Multiplicación mental

## Objetivo de la lección

- Multiplicar unidades, decenas y centenas mentalmente.

*Aprende*

### Multiplica unidades mentalmente.

Halla $4 \times 3$.

$4 \times 3 = 12$

Halla $3 \times 4$.

$3 \times 4 = 12$

Cuento de 3 en 3.
3  6  9  12
Cuento de 4 en 4.
4  8  12
Entonces, $4 \times 3$ es igual que $3 \times 4$.

## Práctica con supervisión

### Multiplica. Escribe los números que faltan.

**1** $4 \times 6 = ?$

$6 \times 4 = $

$4 \times 6 = $

**2** $8 \times 3 = ?$

$3 \times 8 = $

$8 \times 3 = $

**3** $5 \times 7 = ?$

$7 \times 5 = $

$5 \times 7 = $

**4** $9 \times 10 = ?$

$10 \times 9 = $

$9 \times 10 = $

## Aprende

## Multiplica por decenas o centenas mentalmente.

Halla 5 × 40.
Halla 5 × 400.

5 × 4 = 20

5 × 40 = 5 × 4 decenas
= 20 decenas
= 200
Entonces, 5 × 40 = 200.

| × | 4 | 40 | 400 |
|---|---|----|-----|
| 5 | 20 | 200 | 2,000 |

5 × 400 = 5 × 4 centenas
= 20 centenas
= 2,000
Entonces, 5 × 400 = 2,000.

¿Puedes ver un patrón?

## Práctica con supervisión

## Multiplica. Escribe los números que faltan.

**5** Halla 6 × 70.

6 × 70 = 6 × [ ] decenas

= [ ] decenas

= [ ]

Entonces, 6 × 70 = [ ] .

**6** Halla 6 × 700.

6 × 700 = 6 × [ ] centenas

= [ ] centenas

= [ ]

Entonces, 6 × 700 = [ ] .

## Multiplica. Calcula mentalmente.

**7** 8 × 60 = [ ]

**8** 9 × 400 = [ ]

8 × 6 = [ ]
Entonces, 8 × 60 = [ ] .

9 × 4 = [ ]
Entonces, 9 × 400 = [ ] .

**9** 7 × 50 = ☐

**10** 90 × 6 = ☐

**11** 5 × 70 = ☐

**12** 8 × 100 = ☐

**13** 600 × 4 = ☐

**14** 9 × 800 = ☐

# Practiquemos

## Multiplica. Calcula mentalmente.

**1** 7 × 6 = ☐

**2** 9 × 8 = ☐

**3** 4 × 80 = ☐

**4** 70 × 3 = ☐

**5** 6 × 40 = ☐

**6** 20 × 9 = ☐

**7** 8 × 700 = ☐

**8** 900 × 5 = ☐

**9** 7 × 600 = ☐

**10** 400 × 2 = ☐

Recordar
4 × 8
7 × 3
6 × 4
2 × 9
8 × 7
9 × 5
7 × 6
4 × 2

**POR TU CUENTA**

**Ver Cuaderno de actividades A:**
**Práctica 1, págs. 119 a 120**

# 7.2 Multiplicar sin reagrupación

## Objetivo de la lección

**Vocabulario**
producto

- Multiplicar unidades, decenas y centenas sin reagrupación.

**Aprende Usa bloques de base diez para multiplicar un número de 2 dígitos sin reagrupación.**

$3 \times 12 = ?$

| Decenas | Unidades |
|---------|----------|
| | 🔲 🔲 |
| | 🔲 🔲 |
| | 🔲 🔲 |

**Paso 1**
Multiplica las **unidades** por 3.

$$\begin{array}{r} 1\,2 \\ \times\quad 3 \\ \hline \mathbf{6} \end{array}$$

$3 \times 2$ unidades $= 6$ unidades

| Decenas | Unidades |
|---------|----------|
| ▱ | 🔲 🔲 |
| ▱ | 🔲 🔲 |
| ▱ | 🔲 🔲 |
| $3 \times 10 = 30$ | $3 \times 2 = 6$ |

**Paso 2**
Multiplica las **decenas** por 3.

$$\begin{array}{r} 1\,2 \\ \times\quad 3 \\ \hline \mathbf{3}\,6 \end{array}$$

$3 \times 1$ decena $= 3$ decenas

Entonces, $3 \times 12 = 36$.

36 es el **producto** de 3 y 12.

**Usa bloques de base diez para multiplicar un número de 3 dígitos sin reagrupación.**

$2 \times 341 = ?$

| Centenas | Decenas | Unidades |
|---|---|---|
|  |  |  |

**Paso 1**
Multiplica las **unidades** por 2.

$$\begin{array}{r} 3\ 4\ 1 \\ \times \quad 2 \\ \hline \mathbf{2} \end{array}$$

$2 \times 1$ unidad $= 2$ unidades

| Centenas | Decenas | Unidades |
|---|---|---|
|  |  |  |

**Paso 2**
Multiplica las **decenas** por 2.

$$\begin{array}{r} 3\ 4\ 1 \\ \times \quad 2 \\ \hline \mathbf{8}\ 2 \end{array}$$

$2 \times 4$ decenas $= 8$ decenas

| Centenas | Decenas | Unidades |
|---|---|---|
|  |  |  |
| $2 \times 300 = 600$ | $2 \times 40 = 80$ | $2 \times 1 = 2$ |

**Paso 3**
Multiplica las **centenas** por 2.

$$\begin{array}{r} 3\ 4\ 1 \\ \times \quad 2 \\ \hline \mathbf{6}\ 8\ 2 \end{array}$$

$2 \times 3$ centenas $= 6$ centenas

Entonces, $2 \times 341 = 682$.

682 es el producto de 2 y 341.

## Práctica con supervisión

### Escribe los números que faltan.

**1** 2 × 34 = ?

**Paso 1**  Multiplica las unidades por 2.

2 × 4 unidades = ▢ unidades

```
  3 4
×   2
─────
  ▢
```

**Paso 2**  Multiplica las decenas por 2.

2 × 3 decenas = ▢ decenas

Entonces, 2 × 34 = ▢ .

```
  3 4
×   2
─────
 ▢ ▢
```

**2** 3 × 132 = ?

**Paso 1**  Multiplica las unidades por 3.

3 × ▢ unidades = ▢ unidades

```
 1 3 2
×    3
──────
   ▢
```

**Paso 2**  Multiplica las decenas por 3.

3 × ▢ decenas = ▢ decenas

```
 1 3 2
×    3
──────
  ▢ ▢
```

**Paso 3**  Multiplica las centenas por 3.

3 × ▢ centena = ▢ centenas

Entonces, 3 × 132 = ▢ .

```
 1 3 2
×    3
──────
 ▢ ▢ ▢
```

### Multiplica.

**3**
```
  2 4
×   2
─────
  ▢
```

**4**
```
  4 0
×   2
─────
  ▢
```

**5**
```
 2 3 2
×    3
──────
   ▢
```

**6**
```
 1 1 2
×    4
──────
   ▢
```

 **Manos a la obra**

Jugadores: **3**

Materiales:

- hojas de actividades A a F
- tarjetas multiplicadoras con los números 2, 3 y 4

**PASO 1** Cada miembro del grupo toma una hoja de actividades.

Hoja de actividades

| H | T | O |
|---|---|---|
| 2 | 2 | 1 |
| x |   |   |

**PASO 2** Un miembro del grupo elige una tarjeta multiplicadora.

**PASO 3** Un miembro del grupo coloca la tarjeta multiplicadora en el lugar de las unidades en su hoja de actividades. Luego, halla el producto del número en la hoja de actividades y el número de la tarjeta. Los otros miembros del grupo comprueban el resultado.

**PASO 4** Los miembros del grupo se turnan para completar sus hojas de actividades. Cada jugador completa 2 hojas de actividades.

## Escribe los números que faltan.

**1** 3 × 32 = ?

Multiplica las unidades. Luego, multiplica las decenas.

3 × 2 unidades = ▢ unidades

3 × 3 decenas = ▢ decenas

Entonces, 3 × 32 = ▢ .

**2** 2 × 214 = ?

Multiplica las unidades. Luego, multiplica las decenas y después las centenas.

2 × ▢ unidades = ▢ unidades

2 × ▢ decena = ▢ decenas

2 × ▢ centenas = ▢ centenas

Entonces, 2 × 214 = ▢ .

## Multiplica.

**3**
```
    2 3
 ×    2
```
▢

**4**
```
    1 1
 ×    3
```
▢

**5**
```
    4 2 1
 ×      2
```
▢

**6**
```
    2 1 3
 ×      3
```
▢

**POR TU CUENTA**

**Ver Cuaderno de actividades A:**
**Práctica 2, págs. 121 a 126**

# 7.3 Multiplicar con reagrupación

## Objetivo de la lección

- Multiplicar unidades, decenas y centenas con reagrupación.

*Aprende*

### Multiplica un número de 2 dígitos con reagrupación de unidades.

$5 \times 15 = ?$

| Centenas | Decenas | Unidades |
|---|---|---|
| | | ••••• |

**Paso 1**

Multiplica las **unidades** por 5.

$$\begin{array}{r} \overset{2}{1}5 \\ \times \quad 5 \\ \hline \mathbf{5} \end{array}$$

$5 \times 5$ unidades = 25 unidades

| Centenas | Decenas | Unidades |
|---|---|---|
| | ▨▨ | ••••• |

Reagrupa las unidades.

25 unidades = 2 decenas y 5 unidades

| Centenas | Decenas | Unidades |
|---|---|---|
| | ▨▨▨▨▨▨▨ | ••••• |

**Paso 2**

Multiplica las **decenas** por 5.

$$\begin{array}{r} \overset{2}{1}5 \\ \times \quad 5 \\ \hline \mathbf{7}5 \end{array}$$

$5 \times 1$ decena = 5 decenas

Suma las decenas.

2 decenas + 5 decenas = 7 decenas

Entonces, $5 \times 15 = 75$.

## Multiplica un número de 2 dígitos con reagrupación de decenas.

$4 \times 31 = ?$

| Centenas | Decenas | Unidades |
|---|---|---|
|  |  | ● ● ● ● |

**Paso 1**

Multiplica las **unidades** por 4.

$$\begin{array}{r} 3\,1 \\ \times\quad 4 \\ \hline \mathbf{4} \end{array}$$

$4 \times 1$ unidad = 4 unidades

| Centenas | Decenas | Unidades |
|---|---|---|
|  | 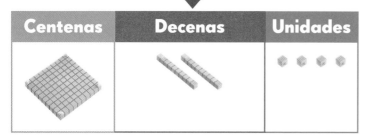 | ● ● ● ● |

**Paso 2**

Multiplica las **decenas** por 4.

$$\begin{array}{r} 3\,1 \\ \times\quad 4 \\ \hline \mathbf{12}\,4 \end{array}$$

$4 \times 3$ decenas = 12 decenas

| Centenas | Decenas | Unidades |
|---|---|---|
|  |  | ● ● ● ● |

Reagrupa las decenas.

12 decenas = 1 centena y
2 decenas

Entonces, $4 \times 31 = 124$.

## Práctica con supervisión

## Escribe los números que faltan.

**1** $5 \times 12 = ?$

**Paso 1**  Multiplica las unidades por 5.

$5 \times$ ▢ unidades = ▢ unidades

$$\begin{array}{r} \square \\ 1\ 2 \\ \times \quad 5 \\ \hline \square \end{array}$$

Reagrupa las unidades.

▢ unidades = ▢ decena y ▢ unidades

**Paso 2**  Multiplica las decenas por 5.

$5 \times$ ▢ decena = ▢ decenas

$$\begin{array}{r} \square \\ 1\ 2 \\ \times \quad 5 \\ \hline \square \end{array}$$

Suma las decenas.

▢ decena + ▢ decenas = ▢ decenas.

Entonces, $5 \times 12 =$ ▢ .

**2**
$$\begin{array}{r} 2\ 3 \\ \times \quad 4 \\ \hline \square \end{array}$$

**3**
$$\begin{array}{r} 4\ 9 \\ \times \quad 2 \\ \hline \square \end{array}$$

**4**
$$\begin{array}{r} 1\ 7 \\ \times \quad 3 \\ \hline \square \end{array}$$

## Escribe los números que faltan.

**5** $40 \times 3 = ?$

$$\begin{array}{r} 4\ 0 \\ \times \quad 3 \\ \hline \square \end{array}$$

**Paso 1**  Multiplica las unidades por 3.

$3 \times$ ▢ unidades = ▢ unidades

**Paso 2**  Multiplica las decenas por 3.

$$\begin{array}{r} 4\ 0 \\ \times \quad 3 \\ \hline \square \end{array}$$

$3 \times$ ▢ decenas = ▢ decenas

Reagrupa las decenas.

▢ decenas = ▢ centena y ▢ decenas

Entonces, $40 \times 3 =$ ▢ .

**6**
$$\begin{array}{r} 3\,7 \\ \times \quad 3 \\ \hline \end{array}$$

**7**
$$\begin{array}{r} 6\,0 \\ \times \quad 5 \\ \hline \end{array}$$

**8**
$$\begin{array}{r} 8\,1 \\ \times \quad 4 \\ \hline \end{array}$$

**Aprende** **Multiplica un número de 2 dígitos con reagrupación de unidades y decenas.**

$2 \times 68 = ?$

| Centenas | Decenas | Unidades |
|---|---|---|
| | | |

**Paso 1**

Multiplica las **unidades** por 2.

$$\begin{array}{r} {}^{1}\phantom{0} \\ 6\,8 \\ \times \quad 2 \\ \hline \mathbf{6} \end{array}$$

$2 \times 8$ unidades $= 16$ unidades

| Centenas | Decenas | Unidades |
|---|---|---|
| | | |

Reagrupa las unidades.
16 unidades = 1 decena y
6 unidades

| Centenas | Decenas | Unidades |
|---|---|---|
| | | |

**Paso 2**

Multiplica las **decenas** por 2.

$$\begin{array}{r} {}^{1}\phantom{0} \\ 6\,8 \\ \times \quad 2 \\ \hline \mathbf{13}6 \end{array}$$

$2 \times 6$ decenas $= 12$ decenas

Suma las decenas.

1 decena + 12 decenas =
13 decenas

| Centenas | Decenas | Unidades |
|---|---|---|
| | | |

Reagrupa las decenas.
13 decenas = 1 centena y
3 decenas

Entonces, $2 \times 68 = 136$.

## Práctica con supervisión

### Escribe los números que faltan.

**9** $2 \times 69 = ?$

**Paso 1** Multiplica las unidades por 2.

$2 \times 9$ unidades = [____] unidades

$$\begin{array}{r} \square \\ 69 \\ \times \quad 2 \\ \hline \square \end{array}$$

Reagrupa las unidades.

[____] unidades = [____] decena y [____] unidades

**Paso 2** Multiplica las decenas por 2.

$2 \times 6$ decenas = [____] decenas

$$\begin{array}{r} \square \\ 69 \\ \times \quad 2 \\ \hline \square \end{array}$$

Suma las decenas.

[____] decena + [____] decenas = [____] decenas

Reagrupa las decenas.

[____] decenas = [____] centena y [____] decenas

Entonces, $2 \times 69 =$ [____] .

## Multiplica.

**10**
$$\begin{array}{r} 9\,3 \\ \times \quad 5 \\ \hline \end{array}$$

**11**
$$\begin{array}{r} 2\,4 \\ \times \quad 5 \\ \hline \end{array}$$

**12**
$$\begin{array}{r} 7\,6 \\ \times \quad 2 \\ \hline \end{array}$$

**13**
$$\begin{array}{r} 8\,8 \\ \times \quad 2 \\ \hline \end{array}$$

**14**
$$\begin{array}{r} 5\,8 \\ \times \quad 4 \\ \hline \end{array}$$

**15**
$$\begin{array}{r} 4\,8 \\ \times \quad 3 \\ \hline \end{array}$$

# Multiplica un número de 3 dígitos con reagrupación de unidades, decenas y centenas.

5 × 146 = ?

| Centenas | Decenas | Unidades |
|---|---|---|
| | | 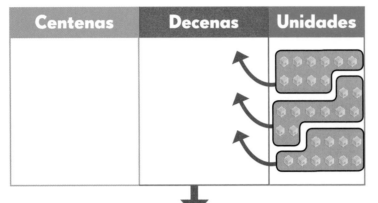 |

**Paso 1**

Multiplica las **unidades** por 5.

$$\begin{array}{r} {\overset{3}{\phantom{0}}} \\ 1\,4\,6 \\ \times \quad 5 \\ \hline \mathbf{0} \end{array}$$

5 × 6 unidades = 30 unidades

| Centenas | Decenas | Unidades |
|---|---|---|
| | | |

Reagrupa las unidades.

30 unidades = 3 decenas y
0 unidades

| Centenas | Decenas | Unidades |
|---|---|---|
| | |  |

**Paso 2**

Multiplica las **decenas** por 5.

$$\begin{array}{r} {\overset{2}{\phantom{0}}\,\overset{3}{\phantom{0}}} \\ 1\,4\,6 \\ \times \quad 5 \\ \hline \mathbf{3}0 \end{array}$$

5 × 4 decenas = 20 decenas

Suma las decenas.
3 decenas + 20 decenas =
23 decenas

| Centenas | Decenas | Unidades |
|---|---|---|
| | | |

Reagrupa las decenas.

23 decenas = 2 centenas y
3 decenas

| Centenas | Decenas | Unidades |
|---|---|---|
|  | | |

**Paso 3**

Multiplica las **centenas** por 5.

$$\begin{array}{r} {}^{2\ \ 3}\\ 1\ 4\ 6\\ \times\qquad 5\\ \hline \mathbf{7}3\ 0 \end{array}$$

5 × 1 centena = 5 centenas

Suma las centenas.

2 centenas + 5 centenas
= 7 centenas

Entonces, 5 × 146 = 730.

## Práctica con supervisión

## Escribe los números que faltan.

**16** 4 × 157 = ?

**Paso 1** Multiplica las unidades por 4.

4 × ⬜ unidades = ⬜ unidades

$$\begin{array}{r} 1\ 5\ 7\\ \times\qquad 4\\ \hline \end{array}$$

Reagrupa las unidades.

⬜ unidades = ⬜ decenas y ⬜ unidades

**Paso 2** Multiplica las decenas por 4.

4 × ⬜ decenas = ⬜ decenas

$$\begin{array}{r} 1\ 5\ 7\\ \times\qquad 4\\ \hline \end{array}$$

Suma las decenas.

⬜ decenas + ⬜ decenas = ⬜ decenas

Reagrupa las decenas.

⬜ decenas = ⬜ centenas y ⬜ decenas

**Paso 3** Multiplica las centenas por 4.

4 × ☐ centena = ☐ centenas

$$\begin{array}{r} ☐\ ☐ \\ 1\ 5\ 7 \\ \times\ \ \ \ \ 4 \\ \hline ☐ \end{array}$$

Suma las centenas.

☐ centenas + ☐ centenas = ☐ centenas

Entonces, 4 × 157 = ☐ .

## Multiplica.

**17**
$$\begin{array}{r} 3\ 9\ 5 \\ \times\ \ \ \ \ 2 \\ \hline ☐ \end{array}$$

**18**
$$\begin{array}{r} 2\ 7\ 8 \\ \times\ \ \ \ \ 3 \\ \hline ☐ \end{array}$$

**19**
$$\begin{array}{r} 1\ 6\ 8 \\ \times\ \ \ \ \ 5 \\ \hline ☐ \end{array}$$

**20**
$$\begin{array}{r} 2\ 4\ 7 \\ \times\ \ \ \ \ 4 \\ \hline ☐ \end{array}$$

**21**
$$\begin{array}{r} 1\ 7\ 0 \\ \times\ \ \ \ \ 3 \\ \hline ☐ \end{array}$$

**22**
$$\begin{array}{r} 3\ 6\ 9 \\ \times\ \ \ \ \ 2 \\ \hline ☐ \end{array}$$

# ¡Gira Y multiplica!

Jugadores: **2 a 4**
Materiales:
- base transparente para la flecha giratoria
- 1 flecha giratoria con los números 2, 3, 4 y 5
- tarjetas de juego 1 a 4

**PASO 1** El jugador 1 elige una tarjeta de juego.

**PASO 2** El jugador 1 hace girar la flecha giratoria para obtener un número.

**PASO 3** El jugador 1 escribe el número en la casilla de la tarjeta de juego. Luego, multiplica los números. Los otros jugadores comprueban el resultado.

**PASO 4** Los jugadores se turnan para hallar los productos hasta que cada tarjeta de juego esté completa.

¡El jugador con más resultados correctos gana!

## Practiquemos

**Escribe los números que faltan.**

**1** 3 × 58 = ?

**Paso 1**   Multiplica las unidades por 3.

3 × 8 unidades = ☐ unidades

$$\begin{array}{r} \boxed{\phantom{0}} \\ 5\,8 \\ \times \quad 3 \\ \hline \boxed{\phantom{0}} \end{array}$$

Reagrupa las unidades.

☐ unidades = ☐ decenas y ☐ unidades

**Paso 2**   Multiplica las decenas por 3.

3 × 5 decenas = ☐ decenas

$$\begin{array}{r} \boxed{\phantom{0}} \\ 5\,8 \\ \times \quad 3 \\ \hline \boxed{\phantom{0}} \end{array}$$

Suma las decenas.

☐ decenas + ☐ decenas = ☐ decenas

Reagrupa las decenas.

☐ decenas = ☐ centena y ☐ decenas

Entonces, 3 × 58 = ☐ .

**2** 5 × 147 = ?

**Paso 1**  Multiplica las unidades por 5.

5 × 7 unidades = [____] unidades

$$\begin{array}{r} 1\ 4\ 7 \\ \times\qquad 5 \\ \hline \end{array}$$

Reagrupa las unidades.

[____] unidades = [____] decenas y [____] unidades

**Paso 2**  Multiplica las decenas por 5.

5 × 4 decenas = [____] decenas

$$\begin{array}{r} 1\ 4\ 7 \\ \times\qquad 5 \\ \hline \end{array}$$

Suma las decenas.

[____] decenas + [____] decenas = [____] decenas

Reagrupa las decenas.

[____] decenas = [____] centenas y [____] decenas

**Paso 3**  Multiplica las centenas por 5.

5 × 1 centena = [____] centenas

$$\begin{array}{r} 1\ 4\ 7 \\ \times\qquad 5 \\ \hline \end{array}$$

Suma las centenas.

[____] centenas + [____] centenas = [____] centenas

Entonces, 5 × 147 = [____] .

**3**
$$\begin{array}{r} 2\ 4 \\ \times\quad 3 \\ \hline \end{array}$$
[____]

**4**
$$\begin{array}{r} 5\ 2 \\ \times\quad 4 \\ \hline \end{array}$$
[____]

**5**
$$\begin{array}{r} 5\ 5 \\ \times\quad 2 \\ \hline \end{array}$$
[____]

**6**
$$\begin{array}{r} 1\ 1\ 4 \\ \times\qquad 5 \\ \hline \end{array}$$
[____]

**7**
$$\begin{array}{r} 2\ 8\ 2 \\ \times\qquad 3 \\ \hline \end{array}$$
[____]

**8**
$$\begin{array}{r} 3\ 8\ 7 \\ \times\qquad 2 \\ \hline \end{array}$$
[____]

**POR TU CUENTA**

**Ver Cuaderno de actividades A:**
**Práctica 3 y 4, págs. 127 a 137**

 ¡Ponte la gorra de pensar!

**1** Aquí hay ocho tarjetas con números.

1  2  3  4  6  7  8  9

Halla pares de números que sumen 10 en total.

**a** ¿Cuántos pares que sumen 10 puedes obtener?

**b** Suma de los ocho números = [ ] × 10

= [ ]

**2** Sin sumar los números uno por uno, halla el resultado de sumar 2 y 9.

Halla pares de números que al sumar den el mismo resultado.

**POR TU CUENTA**

Ver Cuaderno de actividades A:
¡Ponte la gorra de pensar!
págs. 139 a 140

# Resumen del capítulo

## Guía de estudio

**Has aprendido...**

**IDEA IMPORTANTE**

▶ Se puede usar el cáulculo mental para multiplicar.

▶ Los números de hasta 3 dígitos se pueden multiplicar con o sin reagrupación.

---

### Multiplicación

#### Estrategias de multiplicación mental

$4 \times 6 = 24$
Entonces, $6 \times 4 = 24$.
$4 \times 6$ es igual que
$6 \times 4$.

$$7 \times 30 = 7 \times 3 \text{ decenas}$$
$$= 21 \text{ decenas}$$
$$= 210$$
Entonces, $7 \times 30 = 210$.

$$7 \times 300 = 7 \times 3 \text{ centenas}$$
$$= 21 \text{ centenas}$$
$$= 2,100$$
Entonces, $7 \times 300 = 2,100$.

#### Multiplicación sin reagrupación

$$
\begin{array}{r}
3\,4 \\
\times \quad 2 \\
\hline
6\,8
\end{array}
\qquad
\begin{array}{r}
2\,0\,3 \\
\times \quad 3 \\
\hline
6\,0\,9
\end{array}
$$

#### Multiplicación con reagrupación

$$
\begin{array}{r}
\overset{3}{7}\,8 \\
\times \quad 4 \\
\hline
3\,1\,2
\end{array}
\qquad
\begin{array}{r}
\overset{1}{4}\,\overset{1}{5}\,6 \\
\times \quad\quad 2 \\
\hline
9\,1\,2
\end{array}
$$

# Repaso/Prueba del capítulo

## Vocabulario
### Elige la palabra correcta.

producto
reagrupas
multiplicas

**1** Cuando ____ 4 decenas por 3, obtienes 12 decenas.

**2** Cuando ____ 12 decenas, obtienes 1 centena y 2 decenas.

**3** Cuando multiplicas números, el resultado es el ____ .

## Conceptos y destrezas
### Escribe los números que faltan.

**4** $6 \times 5 = 30$
Entonces, $5 \times 6 = $ ____

**5** $8 \times 40 = 8 \times$ ____ decenas

$= $ ____ decenas

$= $ ____

**6** $9 \times 200 = $ ____ $\times$ ____ centenas

$= $ ____ centenas

$= $ ____

## Multiplica.

**7**
$$\begin{array}{r} 1\,2 \\ \times \quad 4 \\ \hline \phantom{000} \end{array}$$

**8**
$$\begin{array}{r} 4\,8 \\ \times \quad 2 \\ \hline \phantom{000} \end{array}$$

**9**
$$\begin{array}{r} 7\,1 \\ \times \quad 2 \\ \hline \phantom{000} \end{array}$$

**10**
$$\begin{array}{r} 8\,8 \\ \times \quad 5 \\ \hline \phantom{000} \end{array}$$

**11**
$$\begin{array}{r} 134 \\ \times\ \ 2 \\ \hline \end{array}$$

**12**
$$\begin{array}{r} 303 \\ \times\ \ 2 \\ \hline \end{array}$$

**13**
$$\begin{array}{r} 124 \\ \times\ \ 3 \\ \hline \end{array}$$

**14**
$$\begin{array}{r} 203 \\ \times\ \ 4 \\ \hline \end{array}$$

**15**
$$\begin{array}{r} 83 \\ \times\ \ 3 \\ \hline \end{array}$$

**16**
$$\begin{array}{r} 261 \\ \times\ \ 3 \\ \hline \end{array}$$

**17**
$$\begin{array}{r} 297 \\ \times\ \ 3 \\ \hline \end{array}$$

**18**
$$\begin{array}{r} 236 \\ \times\ \ 4 \\ \hline \end{array}$$

## Resolución de problemas

## Resuelve.

**19** Martín tiene 43 triciclos. ¿Cuántas ruedas tienen los triciclos en total?

**20** Hay 4 teatros. Cada teatro tiene 249 asientos.
¿Cuántos asientos hay en total?

# Division

**Intenta formar 2 grupos iguales con:**

**1** 6  8  10  12 ó 14 niños.

**2** 5  7  9  11 ó 13 niños.

**¿Qué observas cuando intentas formar 2 grupos iguales con números impares?**

**Lecciones**

**8.1** División mental

**8.2** Cociente y residuo

**8.3** Números pares e impares

**8.4** División sin residuo ni reagrupación

**8.5** División con reagrupación de decenas y unidades

**IDEA IMPORTANTE**

▶ Puede haber residuos cuando se divide para formar grupos iguales o cuando se reparte equitativamente.

# Recordar conocimientos previos

## Dividir para repartir equitativamente

Divide 12  entre 3 grupos iguales.
¿Cuántos  tiene cada grupo?

$12 \div 3 = 4$

Cada grupo tiene 4 cubos.

## Dividir para formar grupos iguales

Divide 12  equitativamente para que haya 3  en cada grupo.
¿Cuántos grupos se formaron?

$12 \div 3 = 4$

Se formaron 4 grupos.

## La división como resta repetida

Halla $10 \div 2$.

$$10 \underbrace{- 2 - 2 - 2 - 2 - 2}_{} = 0$$

Resta grupos de 2 cinco veces

Entonces, $10 \div 2 = 5$.

## ✔ Repaso rápido

**Resuelve.**

**1** Divide 15 lápices entre 3 grupos iguales.
¿Cuántos lápices hay en cada grupo?

**2** Jane tiene 8 manzanas. Come 2 manzanas por día.
¿Cuántos días tardará en comerse todas las manzanas?

**Divide. Usa la resta repetida.**

**3** $12 \div 2 =$

# Lección 8.1 División mental

## Objetivos de la lección

- Usar operaciones de multiplicación relacionadas para dividir.
- Usar patrones para dividir múltiplos de 10 y 100.

**Aprende** **Usa operaciones de multiplicación relacionadas para dividir mentalmente.**

Halla $24 \div 6$.

$4 \times 6 = 24$

Entonces, $24 \div 6 = 4$.

Piensa en una operación de multiplicación relacionada.

## Práctica con supervisión

**Divide. Usa operaciones de multiplicación relacionadas para que te sirvan de ayuda.**

**1** $35 \div 7 = $ ▢

▢ $\times 7 = 35$

Piensa en las operaciones de multiplicación de 7.

**2** $63 \div 9 = $ ▢

Piensa en las operaciones de multiplicación de 9.

▢ $\times 9 = 63$

# Usa operaciones de multiplicación relacionadas y patrones para dividir mentalmente.

Halla 80 ÷ 4.

Halla 800 ÷ 4.

| ÷ | 8 | 80 | 800 |
|---|---|----|-----|
| 4 | 2 | 20 | 200 |

80 ÷ 4 = 8 decenas ÷ 4
   = 2 decenas
   = 20

Entonces, 80 ÷ 4 = 20.

800 ÷ 4 = 8 centenas ÷ 4
   = 2 centenas
   = 200

Entonces, 800 ÷ 4 = 200.

Usa las operaciones de multiplicación de 4.
2 × 4 = 8
8 ÷ 4 = 2

## Práctica con supervisión

**Escribe los números que faltan.**
**Usa operaciones de multiplicación relacionadas y patrones como ayuda.**

**3** 42 ÷ 6 = ?

420 ÷ 6 = ?

42 ÷ 6 = ☐ unidades ÷ 6

   = ☐ unidades

   = ☐

Entonces, 42 ÷ 6 = ☐

420 ÷ 6 = ☐ decenas ÷ 6

   = ☐ decenas

   = ☐

Entonces, 420 ÷ 6 = ☐

Piensa en las operaciones de multiplicación de 6.

☐ × 6 = 42

# Practiquemos

**Divide mentalmente. Usa las operaciones de multiplicación de 6 como ayuda.**

**1** $30 \div 6 =$ ⬚  **2** $24 \div 6 =$ ⬚  **3** $54 \div 6 =$ ⬚

**Divide mentalmente. Usa las operaciones de multiplicación de 7 como ayuda.**

**4** $21 \div 7 =$ ⬚  **5** $42 \div 7 =$ ⬚  **6** $56 \div 7 =$ ⬚

**Divide mentalmente. Usa operaciones de multiplicación relacionadas y patrones como ayuda.**

**7** Halla $300 \div 3$.

$300 \div 3 =$ ⬚ centenas $\div\ 3$

$\phantom{300 \div 3}=$ ⬚ centena

$\phantom{300 \div 3}=$ ⬚

Entonces, $300 \div 3 =$ ⬚ .

**8** Halla $350 \div 5$.

$350 \div 5 =$ ⬚ decenas $\div\ 5$

$\phantom{350 \div 5}=$ ⬚ decenas

$\phantom{350 \div 5}=$ ⬚

Entonces, $350 \div 5 =$ ⬚ .

**9** $700 \div 7 =$ ⬚  **10** $560 \div 8 =$ ⬚  **11** $360 \div 9 =$ ⬚

**12** $6,400 \div 8 =$ ⬚  **13** $7,200 \div 9 =$ ⬚  **14** $2,800 \div 7 =$ ⬚

**POR TU CUENTA**

Ver Cuaderno de actividades A:
Práctica 1, págs. 147 a 148

# 8.2 Cociente y residuo

## Objetivo de la lección

- Dividir un número de 1 ó 2 dígitos entre un número de 1 dígito con o sin residuo.

**Vocabulario**
cociente
residuo

**Aprende** **Divide equitativamente.**

2 niños reparten 8 cubos equitativamente.

**a** ¿Cuántos cubos tiene cada niño?

$8 \div 2 = ?$

| $8 - 2 - 2 - 2 - 2 = 0$ |
| Resta grupos de dos ⬚ veces. |

8 unidades $\div$ 2 = 4 unidades y no queda ninguna unidad como resto

cociente = 4 unidades

**b** Cada niño tiene 4 cubos.

¿Cuántos cubos quedaron como resto?

No quedó ningún cubo como resto.

| $2 \times \mathbf{4} = 8$ |

El **cociente** es el resultado de una división.
En la operación de división 8 $\div$ 2 = 4,
el cociente es 4.

# Divide con residuo.

4 niños reparten 11 conchas marinas equitativamente.

**a** ¿Cuántas conchas marinas tiene cada niño?

11 ÷ 4 = ?

Divide las 11 conchas marinas entre 4 grupos iguales.

11 unidades ÷ 4 = 2 unidades con 3 unidades que quedan como resto

= 2 R 3

4 × **2** = 8
8 es menor que 11.
4 × **3** = 12
12 es mayor que 11.
Elige 2 como cociente.

cociente = 2 unidades
residuo = 3 unidades

Cada niño tiene 2 conchas marinas.

**b** ¿Cuántas conchas marinas quedan como resto?

Quedan 3 conchas marinas como resto.

11 ÷ 4 = 2 R 3
R3 quiere decir que quedan 3 conchas marinas como resto. También significa que hay un **residuo** de 3 conchas marinas.

El **residuo** es el número que queda como resto en una división.

# Práctica con supervisión

## Resuelve.

**1** 3 amigos reparten 17 estrellas de mar equitativamente.

**a** ¿Cuántas estrellas de mar tiene cada amigo?

$17 \div 3 = ?$

17 − ⬜ − ⬜ − ⬜ = ⬜

Resta grupos de ⬜ tres veces.

Quedan ⬜ estrellas de mar como resto.

$3 \times \mathbf{5} = 15$
15 es menor que 17.
$3 \times \mathbf{6} = 18$
18 es mayor que 17.
Elige 5 como cociente.

17 unidades $\div$ 3 = 5 unidades con 2 unidades que quedan como resto

= ⬜ R ⬜

Cociente = ⬜ unidades

Residuo = ⬜ unidades

$17 \div 3$ = ⬜ R ⬜

Cada amigo tiene ⬜ estrellas de mar.

**b** ¿Cuántas estrellas de mar quedaron como resto?

Quedaron ⬜ estrellas de mar como resto.

# ¡A hallar el residuo!

Jugadores: 2 a 4
Materiales:
- pasta
- tarjetas con números de 10 a 35
- flecha giratoria con los números 3, 4 y 5

**PASO 1** Mezcla las tarjetas con números.
El jugador 1 da vuelta una tarjeta.

**PASO 2** El jugador 1 toma el número de unidades de pasta que indica la tarjeta. Por ejemplo, si la tarjeta con número dice 32, toma 32 unidades de pasta.

**PASO 3** Haz girar la flecha giratoria.

**PASO 4** Divide las unidades de pasta entre el número que indica la flecha giratoria y halla el residuo. Por ejemplo, si el jugador 1 obtiene un 5:
- ubica las 32 unidades de pasta en 5 grupos iguales y
- cuenta las unidades de pasta de cada grupo y las unidades que quedan como resto.

El cociente es 6.
El residuo es 2.

**PASO 5** Tu puntaje es el residuo que obtienes. Los otros jugadores usan la división para comprobar el resultado.

**PASO 6** Los jugadores se turnan para jugar dos rondas cada uno.

¡El jugador con más puntos gana!

**Escribe los números que faltan.**

**2** 20 unidades ÷ 3 = [ ] R [ ]     **3** 43 unidades ÷ 5 = [ ] R [ ]

Cociente = [ ] unidades     Cociente = [ ] unidades

Residuo = [ ] unidades     Residuo = [ ] unidades

# Practiquemos

**Escribe los números que faltan.**

**1** 16 unidades ÷ 4 = [ ]

Cociente = [ ] unidades

Residuo = [ ] unidades

**2** 15 unidades ÷ 2 = [ ] R [ ]

Cociente = [ ] unidades

Residuo = [ ] unidad

> Piensa en las operaciones de multiplicación de 2.
>
> 6 × 2 = [ ]
>
> 7 × 2 = [ ]
>
> 8 × 2 = [ ]
>
> Elige [ ] como cociente.

**3** 41 ÷ 5 = [ ] R [ ]

**4** 33 ÷ 4 = [ ] R [ ]

**5** 29 ÷ 3 = [ ] R [ ]

**POR TU CUENTA**

**Ver Cuaderno de actividades A:**
**Práctica 2, págs. 149 a 150**

# Lección 8.3 · Números pares e impares

## Objetivo de la lección

• Usar diferentes estrategias para identificar números pares e impares.

**Vocabulario**
números pares

números impares

### Aprende

## Usa bloques para identificar números pares e impares.

Usa 1, 3, 5, 7 y 9 bloques para formar este patrón.

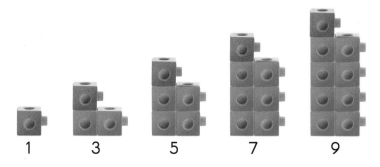

Estos números son números impares.

> Los **números impares** tienen 1, 3, 5, 7 ó 9 en el lugar de las unidades.

Nombra algunos números impares.

Forma patrones usando 2, 4, 6, 8 y 10 bloques.

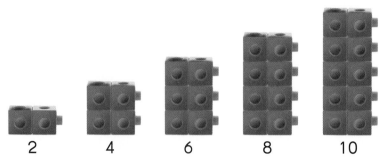

Estos números son números pares. 0 también es un número par.

> Los **números pares** tienen 2, 4, 6, 8 ó 0 en el lugar de las unidades.

Nombra algunos números pares.

## Divide entre 2 para identificar números impares.

Observa este grupo de números impares.

**IMPARES**

13  17  19

Divide cada número entre 2.

### Ejemplo

**6** × 2 = 12. 12 es menor que 13.
**7** × 2 = 14. 14 es mayor que 13.
Elige 6 como cociente.

¿Qué observas?

$13 - 2 - 2 - 2 - 2 - 2 - 2 = 1$
Hay un residuo.

> Cuando se divide un número impar entre 2, siempre hay un residuo de 1.

## Práctica con supervisión

## Divide.

**1**  11 ÷ 2 =  ▭

**2**  15 ÷ 2 =  ▭

## Divide entre 2 para identificar números pares.

Observa este grupo de números pares.

**PARES**

12  16  20

Divide cada número entre 2.

### Ejemplo

6 × 2 = 12

$12 - 2 - 2 - 2 - 2 - 2 - 2 = 0$
No hay residuo.

¿Qué observas?

> Cuando se divide un número par entre 2, no hay residuo.

## Práctica con supervisión

### Resuelve.

**3** Observa los siguientes números. Decide si son pares o impares sin dividir.

8   17   26   38   77   129

Explica tus respuestas.

## Practiquemos

### Resuelve.

**1** ¿23 es un número par? Explica tu respuesta.

### Divide cada número entre 2.
### Luego, decide si cada número es par o impar.

**2** 21 ÷ 2 = ⬜

**3** 18 ÷ 2 = ⬜

21 es un número ⬜ .

18 es un número ⬜ .

**POR TU CUENTA**

Ver Cuaderno de actividades A:
Práctica 3, págs. 151 a 152

# Lección 8.4 División sin residuo ni reagrupación

## Objetivo de la lección

* Usar bloques de base diez y el valor posicional para dividir números de 2 dígitos sin reagrupación ni residuos.

### Aprende **Usa productos parciales para dividir.**

3 amigos reparten 63 bastoncitos de calabaza equitativamente.
¿Cuántos bastoncitos de calabaza obtiene cada uno?

$63 \div 3 = ?$

| Decenas | Unidades |
|---------|----------|

**Paso 1**

Divide las **decenas** entre 3.

6 decenas ÷ 3 = 2 decenas

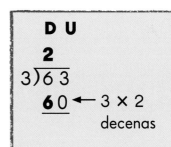

```
   D U
   2
3)6 3
   6 0  ← 3 × 2
         decenas
```

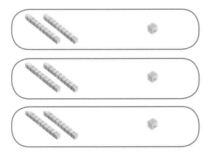

**Paso 2**

Divide las **unidades** entre 3.

3 unidades ÷ 3 = 1 unidad

Entonces, 63 ÷ 3 = 21.

```
     2 1  ← Cociente
  3)6 3
    6 0
    ─────
      3
      3   ← 3 × 1 unidad
    ─────
      0   ← Residuo
```

Cada amigo obtiene 21 bastoncitos de calabaza.

# Práctica con supervisión

## Resuelve.

**1** 3 amigos reparten 39 tomates equitativamente.
¿Cuántos tomates obtiene cada uno?

$39 \div 3 = ?$

| Decenas | Unidades |
|---------|----------|
|         |          |

**Paso 1**

Divide las **decenas** entre 3.

3 decenas ÷ 3 = [     ] decena

| Decenas | Unidades |
|---------|----------|
|         |          |

**Paso 2**

Divide las **unidades** entre 3.

9 unidades ÷ 3

= [     ] unidades

Entonces, 39 ÷ 3

= [     ].

Cada amigo obtiene

[     ] tomates.

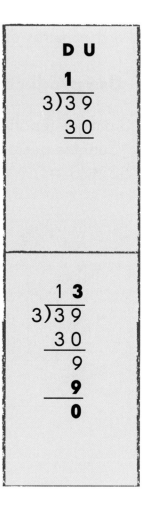

## Divide. Usa bloques de base diez como ayuda.

**2** 48 ÷ 2 = ?

**Paso 1** Divide las decenas.

[ ] decenas ÷ 2 = [ ] decenas

**Paso 2** Divide las unidades.

[ ] unidades ÷ [ ] = [ ] unidades

Entonces, 48 ÷ 2 = [ ]

**3** Halla 69 ÷ 3 = ?

**Paso 1** Divide las decenas.

[ ] decenas ÷ [ ] = [ ] decenas

**Paso 2** Divide las unidades.

[ ] unidades ÷ [ ] = [ ] unidades

Entonces, 69 ÷ 3 = [ ]

## Divide. Usa bloques de base diez como ayuda.

**4**

$4\overline{)4\ \ 8}$

**5**

$5\overline{)5\ \ 5}$

**6**

$2\overline{)6\ \ 4}$

**7**

$3\overline{)9\ \ 0}$

**8**

$4\overline{)8\ \ 4}$

**9**

$3\overline{)6\ \ 6}$

## Practiquemos

**Divide. Usa bloques de base diez como ayuda**

**1** 9 unidades ÷ 3 = [ ] unidades    **2** 5 decenas ÷ 5 = [ ] decena

**3** 8 decenas ÷ 4 = [ ] decenas    **4** 6 unidades ÷ 2 = [ ] unidades

**Divide. Usa bloques de base diez como ayuda.**

**5** 96 ÷ 3 = ?

Divide las decenas.

9 decenas ÷ 3 = [ ] decenas.

Divide las unidades.

6 unidades ÷ 3 = [ ] unidades.

Entonces, 96 ÷ 3 = [ ].

**Divide. Usa bloques de base diez como ayuda.**

**6** [ ] [ ]
3)9   6

**7** [ ] [ ]
2)8   2

**8** [ ] [ ]
4)4   8

**9** [ ] [ ]
5)5   0

**Resuelve.**

**10** Rebeca compra 44 pelotas de tenis.
Coloca las pelotas, equitativamente, en 4 bolsas.
¿Cuántas pelotas de tenis colocó Rebeca en cada bolsa?

**11** Fernando tiene 84 canicas.
Divide las canicas, equitativamente, entre 2 grupos.
¿Cuántas canicas hay en cada grupo?

**POR TU CUENTA**

**Ver Cuaderno de actividades A:
Práctica 4, págs. 153 a 154**

# Lección 8.5 División con reagrupación de decenas y unidades

## Objetivo de la lección

• Usar bloques de base diez y el valor posicional para dividir un número de 2 dígitos entre un número de 1 dígito con reagrupación, con o sin residuos.

### Aprende

## Reagrupa para dividir.

Jason y Brad coleccionan piedras. Reparten 32 piedras equitativamente. ¿Cuántas piedras obtiene cada uno?

32 ÷ 2 = ?

| Decenas | Unidades |
|---------|----------|

**Paso 1**

Divide las **decenas** entre 2.

3 decenas ÷ 2
= 1 decena con 1 decena que queda como resto

```
    D U
    1
  2)3 2
    2 0  ← 2 × 1
    1      decena
```

| Decenas | Unidades |
|---------|----------|

Reagrupa la decena que quedó como resto.
1 decena = 10 unidades

Suma las unidades.
10 unidades + 2 unidades
= 12 unidades

```
    1
  2)3 2
    2 0
    1 2
```

| Decenas | Unidades |
|---------|----------|

**Paso 2**

Divide las **unidades** entre 2.

12 unidades ÷ 2 =
6 unidades

```
    1 6
  2)3 2
    2 0
    1 2
    1 2  ← 2 × 6
    0      unidades
```

Entonces, 32 ÷ 2 = 16.

Cada uno obtiene 16 piedras.

## Práctica con supervisión

### Resuelve.

**1** 3 amigos reparten 56 tarjetas de colección equitativamente.
¿Cuántas tarjetas obtiene cada uno?
¿Cuántas tarjetas quedan como resto?

$56 \div 3 = ?$

| Decenas | Unidades |
|---------|----------|
| 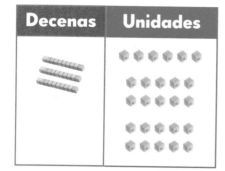 | |

**Paso 1**

Divide las **decenas** entre 3.

5 decenas ÷ 3

= ___ decena con

un residuo de ___ decenas

```
    D U
     1
3)5 6
  3 0   ← 3 × 1
    2       decena
```

| Decenas | Unidades |
|---------|----------|
| | |

Reagrupa las decenas que quedaron como residuo.

2 decenas = 20 unidades
Suma las unidades.
20 unidades + 6 unidades
= 26 unidades

```
     1
3)5 6
  3 0
  2 6
```

| Decenas | Unidades |
|---------|----------|
| 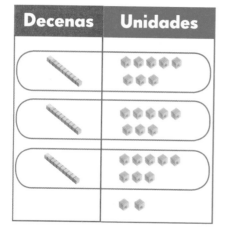 | |

**Paso 2**

Divide las **unidades** entre 3.

___ unidades ÷ 3

= ___ unidades con un

residuo de ___ unidades

Entonces, 56 ÷ 3
= ___ R ___ .

```
   1 8 R 2
3)5 6
  3 0
  2 6
  2 4   ← 3 × 8
    2       unidades
```

Cada uno obtiene ___ tarjetas.

Quedan ___ tarjetas como resto.

## Manos a la obra

**Materiales:**
- bloques de base diez

¡Usa bloques de base diez como ayuda para dividir!

Reagrupa cada decena que quedó como residuo en 10 unidades.

**a** Divide 7 decenas y 2 unidades entre 2 niños.

**b** Divide 5 decenas y 7 unidades entre 3 canastas.

**c** Divide 9 decenas y 6 unidades entre 4 familias.

## Práctica con supervisión

## Divide. Usa bloques de base diez como ayuda.

**2**

$4\overline{)5\ 6}$

**3**

$5\overline{)7\ 5}$

**4**

$2\overline{)7\ 9}$

## Resuelve. Usa bloques de base diez como ayuda.

**5** El señor Ross divide 63 libros entre pilas de 5.

**a** ¿Cuántas pilas hay?

**b** ¿Cuántos libros quedan como resto?

# Practiquemos

**Divide.**

**1** 18 unidades ÷ 2 = [ ] unidades    **2** 18 unidades ÷ 3 = [ ] unidades

**3** 15 unidades ÷ 3 = [ ] unidades    **4** 15 unidades ÷ 5 = [ ] unidades

**Escribe los números que faltan.**

**5** 96 = 8 decenas y [ ] unidades    **6** 54 = [ ] decenas y 24 unidades

**Divide. Expresa el residuo en decenas. Usa bloques de base diez como ayuda.**

**7** 5 decenas ÷ 2 = [ ] decenas con un residuo de [ ] decena

**8** 8 decenas ÷ 3 = [ ] decenas con un residuo de [ ] decenas

**Divide. Expresa el residuo en unidades. Usa bloques de base diez como ayuda.**

**9** 5 decenas ÷ 3 = [ ] decena con un residuo de [ ] unidades

**10** 7 decenas ÷ 4 = [ ] decena con un residuo de [ ] unidades

**Divide.**

**11**
$$2\overline{)3\ 4}$$

**12**
$$3\overline{)5\ 1}$$

**Resuelve.**

**13** Timothy guarda 60 botellas de jugo de naranja equitativamente en 4 refrigeradores.
¿Cuántas botellas hay en cada refrigerador?

**POR TU CUENTA**

Ver Cuaderno de actividades A:
Práctica 5, págs. 155 a 156

# ¡Ponte la gorra de pensar!

## RESOLUCIÓN DE PROBLEMAS

Escribe los números que faltan.

**1**
```
        4 5
    2 ) 9 ▢
        8 0
        1 0
        1 0
          0
```

**2**
```
        ▢ ▢
    5 ) 7 ▢
        5 0
        2 6
        2 5
          1
```

**3**
```
        1 7
    ▢ ) 6
        4 0
        2 ▢
        ▢ ▢
          1
```

**4**
```
        ▢ ▢
    ▢ ) 9 ▢
        6 0
        3 0
          ▢
          0
```

**POR TU CUENTA**

**Ver Cuaderno de actividades A:
¡Ponte la gorra de pensar!
págs. 157 a 158**

# Resumen del capítulo

## Guía de estudio

**Has aprendido...**

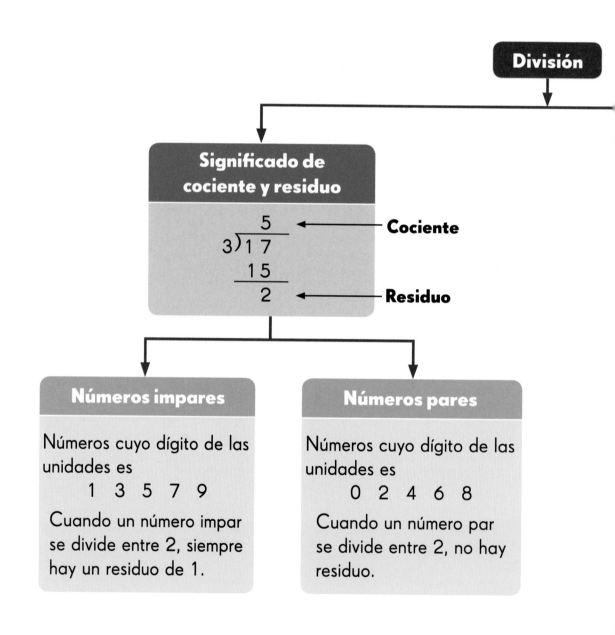

**División**

**Significado de cociente y residuo**

$$\begin{array}{r} 5 \\ 3\overline{)17} \\ 15 \\ \hline 2 \end{array}$$

← **Cociente**

← **Residuo**

**Números impares**

Números cuyo dígito de las unidades es

1  3  5  7  9

Cuando un número impar se divide entre 2, siempre hay un residuo de 1.

**Números pares**

Números cuyo dígito de las unidades es

0  2  4  6  8

Cuando un número par se divide entre 2, no hay residuo.

**IDEA IMPORTANTE**

▶ Puede haber residuos cuando se divide para formar grupos iguales o cuando se reparte equitativamente.

## Dividir

| Mentalmente, recordando las operaciones de multiplicación | Un número de 2 dígitos entre un número de 1 dígito (sin reagrupación) | Un número de 2 dígitos entre un número de 1 dígito (con reagrupación) |
|---|---|---|
| Halla 90 ÷ 3.<br>90 ÷ 3 = 9 decenas ÷ 3<br>$\qquad$ = 3 decenas<br>$\qquad$ = 30<br><br>Entonces, 90 ÷ 3 = 30.<br><br>Halla 900 ÷ 3.<br>900 ÷ 3 = 9 centenas ÷ 3<br>$\qquad$ = 3 centenas<br>$\qquad$ = 300<br><br>Entonces, 900 ÷ 3 = 300. | $$\begin{array}{r} 1\,2 \\ 4\overline{)4\,8} \\ \underline{4\,0} \leftarrow 4 \times 1 \text{ decena} \\ 8 \\ \underline{8} \leftarrow 4 \times 2 \\ 0 \quad \text{unidades} \end{array}$$ | $$\begin{array}{r} 2\,5 \\ 3\overline{)7\,5} \\ \underline{6\,0} \leftarrow 3 \times 2 \text{ decenas} \\ 1\,5 \\ \underline{1\,5} \leftarrow 3 \times 5 \\ 0 \quad \text{unidades} \end{array}$$ |

# Repaso/Prueba del capítulo

## Vocabulario
### Elige la palabra correcta.

> par
> residuo
> impar
> cociente

**1** El resultado de una división se llama ▢ .

**2** Cuando se divide un número ▢ entre 2, siempre hay un ▢ de 1.

**3** Cuando se divide un número ▢ entre 2, no hay residuo.

## Conceptos y destrezas
### Escribe los números que faltan.

**4** ▢ × 5 = 30

30 ÷ 5 = ▢

**5** ▢ × 3 = 21

21 ÷ 3 = ▢

**6** ▢ × 4 = 36

36 ÷ 4 = ▢

### Divide. Usa operaciones de multiplicación relacionadas como ayuda.

**7** 54 ÷ 6 = ▢          6 × ▢ = 54

540 ÷ 6 = ▢

5,400 ÷ 6 = ▢

**8** 35 ÷ 7 = ▢          7 × ▢ = 35

350 ÷ 7 = ▢

3,500 ÷ 7 = ▢

**Divide.**

**9**  44 ÷ 4 =

**10**  86 ÷ 2 =

**11**  93 ÷ 3 =

**12**  38 ÷ 2 =

**13**  54 ÷ 3 =

**14**  72 ÷ 4 =

**15**  65 ÷ 5 =

**16**  43 ÷ 3 =

**17**  59 ÷ 4 =

**18**  99 ÷ 5 =

## Resolución de problemas

**19** Un granjero tiene 36 ovejas. Tiene 4 corrales.
Coloca igual número de ovejas en cada corral.
¿Cuántas ovejas hay en cada corral?

**20** Lisa cocina 45 bollos.
Coloca los bollos, equitativamente, en 3 cajas.
¿Cuántos bollos hay en cada caja?

**21** Sharon necesita 69 mariposas de plástico para sus móviles.
Coloca 4 mariposas de plástico en cada móvil.

   **a**   ¿Cuántos móviles tiene?

   **b**   ¿Cuántas mariposas quedan como resto?

**22** Paul tiene 58 bicicletas en su tienda.
Las ubica en 5 hileras iguales.

   **a**   ¿Cuántas bicicletas hay en cada hilera?

   **b**   ¿Cuántas bicicletas quedan como resto?

# Modelos de barras: Multiplicación y división

¿Cuántos niños hay en los tapetes rojos? ¿Cuántos niños hay en el tapete amarillo?

## Lecciones

**9.1** Problemas cotidianos: La multiplicación

**9.2** Problemas cotidianos: Problemas de dos pasos con multiplicación

**9.3** Problemas cotidianos: La división

**9.4** Problemas cotidianos: Problemas de dos pasos con división

## IDEA IMPORTANTE

▶ Se pueden usar los modelos de barras para resolver distintos tipos de problemas de multiplicación y división.

# Recordar conocimientos previos

## Usar modelos de barras para resolver problemas de multiplicación

Multiplica 3 por 4.

$4 \times 3 = 12$

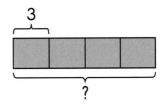

## Usar modelos de barras para resolver problemas de división

**1** Divide 24 entre 3.

$24 \div 3 = 8$

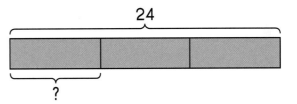

**2** Divide 14 entre grupos de 2.

$14 \div 2 = 7$

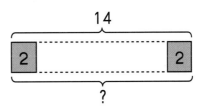

## ✔ Repaso rápido

**Completa cada enunciado de multiplicación.**
**Usa modelos de barras como ayuda.**

**1**

8

?

[ ] × [ ] = [ ]

**Completa cada enunciado de multiplicación.**
**Usa modelos de barras como ayuda.**

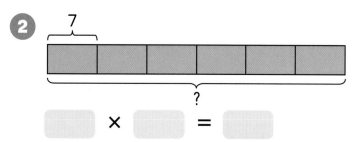

**2**    7

☐ × ☐ = ☐

**Completa cada enunciado de división.**
**Usa modelos de barras como ayuda.**

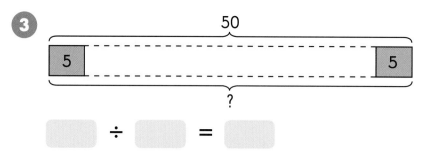

**3**    50    5    5    ?

☐ ÷ ☐ = ☐

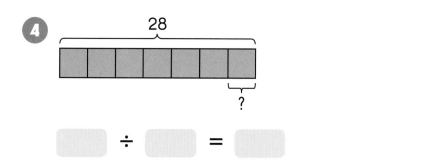

**4**    28    ?

☐ ÷ ☐ = ☐

**Dibuja modelos de barras.**

**5**  4 × 9 = ?

**6**  56 ÷ 8 = ?

# Problemas cotidianos: La multiplicación

## Objetivo de la lección

**Vocabulario**
dos veces

- Usar modelos de barras para resolver problemas de multiplicación de un paso.

### Aprende Usa modelos de barras para resolver problemas de multiplicación de un paso.

Hay 5 cajas de lápices.
Cada caja contiene 12 lápices.
¿Cuántos lápices hay en total?

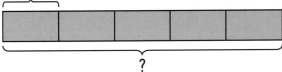

12 lápices

?

1 unidad $\longrightarrow$ 12

5 unidades $\longrightarrow$ 12 $\times$ 5 = 60

Hay 60 lápices en total.

## Práctica con supervisión

### Resuelve. Usa un modelo de barras como ayuda.

1 Mark paga $195 de renta por mes.
¿Cuánto paga de renta en total por 3 meses?

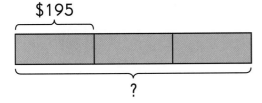

$195

?

1 unidad $\longrightarrow$ $ ⬜

3 unidades $\longrightarrow$ $ ⬜ $\times$ ⬜ = $ ⬜

Paga $ ⬜ en total por 3 meses.

# Usa modelos de barras para resolver problemas de multiplicación de un paso.

Zach tiene 342 estampillas.
Sam tiene **dos veces** el número de estampillas que tiene Zach.
¿Cuántas estampillas tiene Sam?

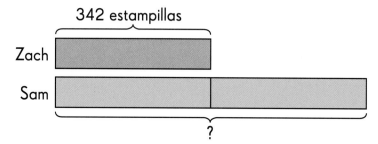

342 × 2 = 684

Sam tiene 684 estampillas.

Dos veces una cantidad significa una cantidad multiplicada por 2.

☐ representa 342 estampillas.

Entonces, ☐☐ representa 342 estampillas × 2.

## Práctica con supervisión

### Resuelve. Usa modelos de barras como ayuda.

**2** Garden Center vende 250 paquetes de semillas. Fran's Nursery vende 3 veces el número de paquetes de semillas que vende Garden Center. ¿Cuántos paquetes de semillas vende Fran's Nursery?

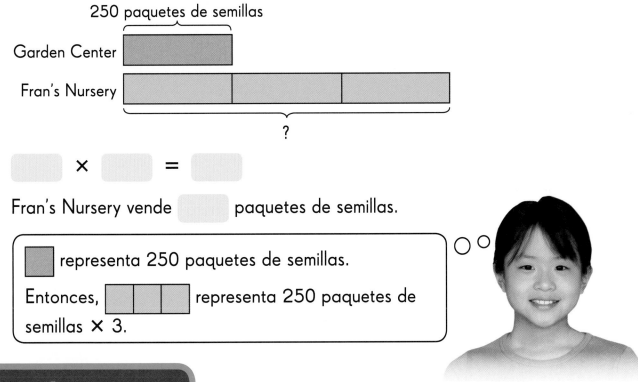

Fran's Nursery vende [ ] paquetes de semillas.

[ ] representa 250 paquetes de semillas.

Entonces, [ ] representa 250 paquetes de semillas × 3.

## Practiquemos

### Resuelve. Dibuja modelos de barras como ayuda.

**1** El lunes, la señora. Bollat vende 424 entradas de cine. El martes, vende dos veces el número de entradas que vendió el lunes. ¿Cuántas entradas vendió el martes?

**2** Un puesto de periódicos tiene 7 cajas de revistas. Cada caja contiene 120 revistas. ¿Cuántas revistas hay en el puesto en total?

POR TU CUENTA

**Ver Cuaderno de actividades A: Práctica 1, págs. 159 y 160**

# Problemas cotidianos: Problemas de dos pasos con multiplicación

## Objetivos de la lección

- Usar modelos de barras para resolver problemas de dos pasos.
- Elegir las operaciones correctas para resolver problemas de dos pasos.

**Aprende** **Usa modelos de barras para resolver problemas de dos pasos.**

La gasolinera A vende 273 galones de gasolina a la mañana. En la misma mañana, la gasolinera B vende el **doble** de la cantidad de gasolina que vende la gasolinera A.

Doble significa 2 veces.

**a** ¿Cuántos galones de gasolina vendió la gasolinera B?

**b** ¿Cuántos galones de gasolina vendieron en total ambas gasolineras?

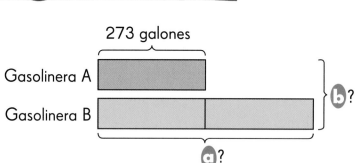

273 galones

Gasolinera A

Gasolinera B

**b** ?

**a** ?

**a** $273 \times 2 = 546$
La gasolinera B vendió 546 galones de gasolina.

**b** $273 + 546 = 819$
En total, vendieron 819 galones de gasolina.

## Práctica con supervisión

### Resuelve. Usa modelos de barras como ayuda.

**1** Una librería tiene 4 estantes con libros.
Cada estante tiene 116 libros.
El dueño de la librería vendió 382 libros.
¿Cuántos libros quedaron?

Halla el número de libros que había al principio.

116 libros

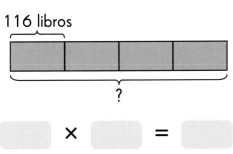

?

[  ]  ×  [  ]  =  [  ]

Al principio, había [  ] libros.

[  ] libros

382 libros          ?

[  ] ● [  ]  =  [  ]

Quedaron [  ] libros.

# Resuelve. Usa modelos de barras como ayuda.

**2** Randy tiene algunas naranjas y manzanas.
Coloca 2 naranjas y 3 manzanas en cada caja.
Tiene un total de 6 cajas de fruta.
¿Cuántas frutas tiene Randy en total?

[ ] + [ ] = [ ]

Hay [ ] frutas en cada caja.

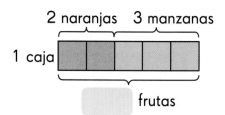

2 naranjas   3 manzanas

1 caja

[ ] frutas

[ ] frutas

?

1 unidad ⟶ [ ]

6 unidades ⟶ [ ] × 5 = [ ]

Randy tiene [ ] frutas en total.

**3** Flo ahorra 4 veces la cantidad de dinero que ahorra Larry.
María ahorra $12 menos que Flo.
Larry ahorra $32.
¿Cuánto dinero ahorró María?

1 unidad ⟶ $[ ]

4 unidades ⟶ $[ ] × [ ] = $[ ]

Flo ahorra $[ ].

$[ ] − $[ ] = $[ ]

María ahorró $[ ].

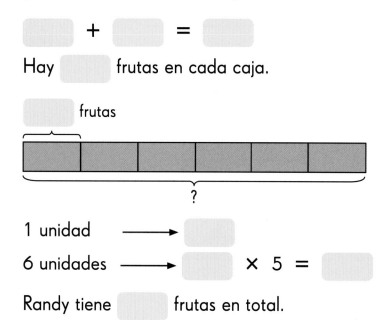

?

Flo

Larry

$32

María

?   $12

## Practiquemos

**Decide si debes sumar, restar o multiplicar en cada paso.**
**Luego, resuelve el problema. Usa modelos de barras como ayuda.**

**1** Una bolsa de cacahuates cuesta $5.
Alicia quiere comprar 8 bolsas de
cacahuates, pero tiene solo $33.
¿Cuánto dinero más necesita?

**2** Megan hace un collar con 12 cuentas
rojas y 15 cuentas amarillas.
Hace un total de 3 collares.
¿Cuántas cuentas usó en total?

**3** Sandy tiene $60.
Quiere comprar 7 ositos de peluche.
Si cada osito de peluche cuesta $6,
¿cuánto dinero le queda?

**4** Pat tiene 12 años.
James tiene 3 veces la edad de Pat.
Raymond tiene 9 años menos que James.
¿Cuántos años tiene Raymond?

**POR TU CUENTA**

**Ver Cuaderno de actividades A:**
**Práctica 2, págs. 161 a 168**

# Diario de matemáticas

**TRABAJAR EN GRUPO**

**Escribe un problema de dos pasos con estas palabras y números. Luego, dibuja modelos de barras y resuélvelo.**

**1**

| dos veces la cantidad | palillos para cuentas | 745 |

| Cuántos | en total | Jennifer | Manuel |

**Estos son modelos de barras que se dibujaron para otro problema. Escribe un problema de dos pasos para los modelos de barras.**

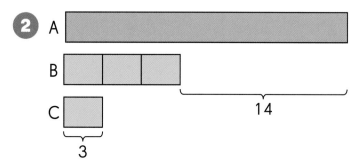

**2** A

B

C

14

3

# 9.3 Problemas cotidianos: La división

## Objetivos de la lección

- Usar modelos de barras para resolver problemas de división de un paso.
- Reconocer las relaciones entre números.

**Aprende**

## Usa modelos de barras para resolver problemas de división de un paso.

Un agricultor cosecha 60 naranjas.
Las guarda equitativamente en 5 cajas.
¿Cuántas naranjas guardó el agricultor en cada caja?

60 naranjas

?

$60 \div 5 = 12$

Guardó 12 naranjas en cada caja.

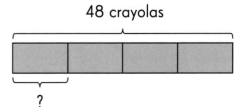

## Práctica con supervisión

## Resuelve. Usa modelos de barras para que te sirvan de ayuda.

**1** Hay 48 crayolas.
Están acomodadas equitativamente en 4 cajas.
¿Cuántas crayolas tiene cada caja?

◻ ÷ ◻ = ◻

Cada caja tiene ◻ crayolas.

48 crayolas

?

## Resuelve. Usa modelos de barras como ayuda.

**2** Un triciclo tiene 3 ruedas.
En la tienda de Jerome, los triciclos tienen 42 ruedas en total.
¿Cuántos triciclos tiene Jerome en total?

42 ÷ ⬚ = ⬚

Hay ⬚ triciclos en la tienda de Jerome.

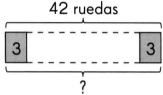

---

*Aprende*

## Usa modelos de barras para resolver problemas de división de un paso.

Shawn y Trish anotaron 36 goles en total.
Shawn anotó 3 veces la cantidad de goles que anotó Trish.
¿Cuántos goles anotó Trish?

4 unidades ⟶ 36
1 unidad ⟶ 36 ÷ 4 = 9

Trish anotó 9 goles.

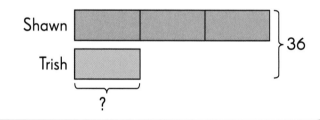

---

## Práctica con supervisión

## Resuelve. Usa modelos de barras como ayuda.

**3** Ahmad vende 32 juegos de vídeo.
Vende 4 veces más juegos de vídeo que Justin.
¿Cuántos juegos de vídeo vendió Justin?

⬚ unidades ⟶ ⬚

⬚ unidad ⟶ ⬚ ÷ ⬚

= ⬚

Justin vendió ⬚ juegos de vídeo.

## Practiquemos

**Resuelve. Dibuja modelos de barras como ayuda.**

**1** El señor Lucas envasa 80 libras de arroz en bolsas de 5 libras. ¿Cuántas bolsas usa?

**2** Durante una feria escolar, Daniel vende 87 vasos de jugo. Vende 3 veces más vasos de jugo que Rodney. ¿Cuántos vasos de jugo vendió Rodney?

**3** La cantidad total de años de Melvin y Jack es 72 años. Melvin tiene 3 veces la edad de Jack. ¿Cuántos años tiene Jack?

**4** Darren usa 4 pedazos de madera para hacer 1 portarretrato. ¿Cuántos portarretratos puede hacer con 72 pedazos de madera?

**5** Un salón de boliche tiene 81 bolas de boliche. Cada pista tiene 9 bolas al costado. ¿Cuántas pistas hay en el salón de boliche?

**POR TU CUENTA**

**Ver Cuaderno de actividades A: Práctica 3, págs. 169 a 172**

# Lección 9.4 Problemas cotidianos: Problemas de dos pasos con división

## Objetivos de la lección:

- Usar modelos de barras para resolver problemas de dos pasos.
- Elegir las operaciones correctas para resolver problemas de dos pasos.

*Aprende*

### Usa modelos de barras para resolver problemas de dos pasos.

Un panadero tiene 28 onzas de harina.
Usa 8 onzas para hacer panecillos.
Guarda la harina que le sobra en 5 bolsas iguales.

**a** ¿Cuánta harina le sobró?

**b** ¿Cuántas onzas de harina tiene cada bolsa?

**a** $28 - 8 = 20$

Sobraron 20 onzas de harina.

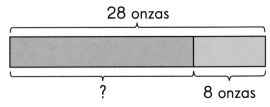

**b** $20 \div 5 = 4$

Cada bolsa tiene 4 onzas de harina.

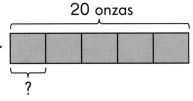

# Práctica con supervisión

## Resuelve. Usa modelos de barras como ayuda.

**1** Joel compra 3 cajas de lápices. Cada caja contiene 32 lápices.
Los lápices se reparten equitativamente entre 4 niños.
¿Cuántos lápices recibió cada niño?

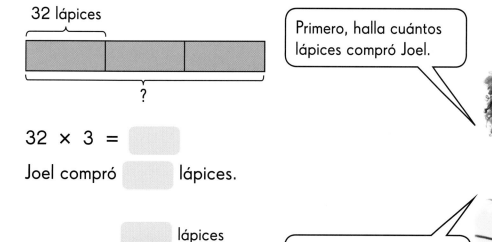

32 lápices

?

Primero, halla cuántos lápices compró Joel.

$32 \times 3 =$ 

Joel compró [ ] lápices.

[ ] lápices

?

Luego, halla cuántos lápices recibió cada niño.

$96 \div 4 =$ 

Cada niño recibió [ ] lápices.

**2** Rodrigo compra 3 cajas de botones. Cada caja contiene 16 botones.
Guarda los botones en bolsas de 8 botones cada una.
¿Cuántas bolsas de botones tiene?

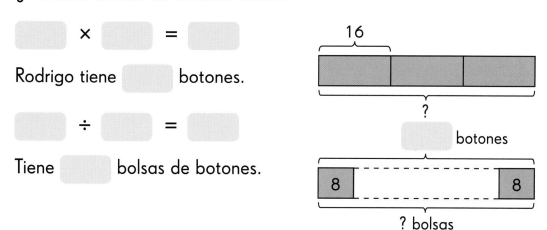

[ ] × [ ] = [ ]

Rodrigo tiene [ ] botones.

[ ] ÷ [ ] = [ ]

Tiene [ ] bolsas de botones.

16

?

[ ] botones

8      8

? bolsas

**3** Jackie, Kim y Minah tienen 55 estampillas en total.
Jackie tiene dos veces la cantidad de
estampillas que tiene Kim.
Minah tiene 10 estampillas.
¿Cuántas estampillas tiene Kim?

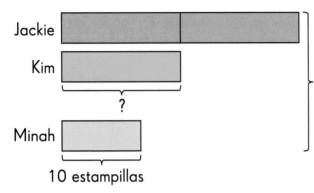

Jackie
Kim
? 
55 estampillas
Minah
10 estampillas

◻ – ◻ = ◻

Jackie y Kim tienen ◻ estampillas.

3 unidades ⟶ ◻

1 unidad ⟶ ◻ ÷ 3 = ◻

Kim tiene ◻ estampillas.

# Diario de matemáticas

**TRABAJAR EN GRUPO**

**Escribe un problema de dos pasos con estas palabras y números. Luego, resuélvelo. Usa modelos de barras como ayuda.**

**1**

| Vincent | palillos para cuentas | repartidos equitativamente | Tony |

| todos juntos | 45 | Cuántos | 21 |

**Estos son modelos de barras que se dibujaron para otro problema. Escribe un problema de dos pasos para los modelos de barras. Luego, resuélvelo.**

**2**

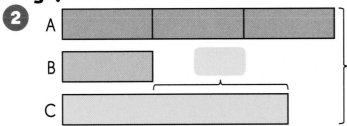

# Practiquemos

**Decide si debes sumar, restar, multiplicar o dividir en cada paso. Luego, resuelve el problema. Usa modelos de barras como ayuda.**

**1** Joe tiene 32 sobres y Peter tiene 48 sobres.
Se reparten los sobres equitativamente.

   **a** ¿Cuántos sobres tienen en total?

   **b** ¿Cuántos sobres tiene cada uno?

**2** Naomi tiene 29 panecillos.
Le da 9 panecillos a Charlie.
Divide el resto entre 5 personas.
¿Cuántos panecillos tiene
cada persona?

**3** Dina, Sue y Kelley tienen $98 en total.
Dina tiene 4 veces la cantidad de
dinero que tiene Kelley.
Sue tiene $18.
¿Cuánto dinero tiene Kelley?

**4** Adam, Ben, Carlos y Darren reparten la cuenta de la cena
de $96 equitativamente.
Cada uno le deja $2 de propina
a la camarera.
¿Cuánto gastó cada uno
en total?

**POR TU CUENTA**

**Ver Cuaderno de actividades A:
Práctica 4, págs. 173 a 178**

# ¡Ponte la gorra de pensar!

## RESOLUCIÓN DE PROBLEMAS

### Resuelve. Usa modelos de barras como ayuda.

1 El señor King tiene un total de 19 gansos, gallinas y patos en su granja.
Tiene 3 gallinas más que gansos.
Tiene 2 patos menos que gansos.
¿Cuántos patos tiene?

Usa los **modelos de barras** como ayuda para resolver el problema.

gallinas

gansos ⎱ 19

patos

?

2 Gita coloca neumáticos en 21 bicicletas y triciclos.
Usa 53 neumáticos en total.
¿Cuántos triciclos hay?

**POR TU CUENTA**

**Ver Cuaderno de actividades A:**
¡Ponte la gorra de pensar!,
págs. 179 y 180

# Resumen del capítulo

## Guía de estudio
### Has aprendido…

**Usar modelos de barras: Multiplicación y división**

**De un paso**

### Multiplicación

Chloe tiene 3 cajas de hebillas para el cabello.
Cada caja tiene 12 hebillas.
¿Cuántas hebillas para el cabello tiene Chloe en total?

12 hebillas para el cabello

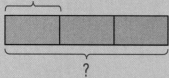

?

$12 \times 3 = 36$

Chloe tiene 36 hebillas para el cabello en total.

### División

Tom tiene 42 soldaditos de juguete.
Los guarda equitativamente en 3 cajones.
¿Cuántos soldaditos hay en cada cajón?

42

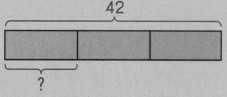

?

3 unidades ⟶ 42
1 unidad ⟶ $42 \div 3 = 14$

Hay 14 soldaditos de juguete en cada cajón.

Clark divide 72 estampillas equitativamente entre las páginas de su álbum.
Cada página tiene 8 estampillas.
¿Cuántas páginas del álbum tienen estampillas?

72 estampillas

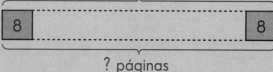

? páginas

$72 \div 8 = 9$

9 páginas del álbum tienen estampillas.

**IDEA IMPORTANTE**

► Se pueden usar los modelos de barras para resolver distintos tipos de problemas de multiplicación y división.

**De dos pasos**

## Multiplicación

Josie tiene 4 camisetas negras. Tiene 3 veces más camisetas blancas que negras. ¿Cuántas camisetas tiene en total?

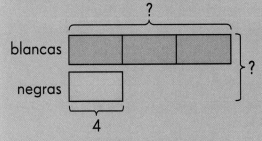

$3 \times 4 = 12$

$12 + 4 = 16$

Josie tiene 16 camisetas en total.

## División

Elsie divide 20 clips equitativamente entre 4 niñas. Luego, entrega a cada niña 2 clips más. ¿Cuántos clips tiene cada niña?

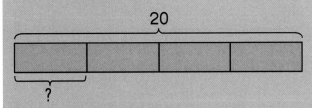

$20 \div 4 = 5$

$5 + 2 = 7$

Cada niña tiene 7 clips.

## Multiplicación y división

Douglas tiene 4 cajas de lápices. Cada caja tiene 10 lápices. Divide los lápices entre 8 niños. ¿Cuántos lápices recibió cada niño?

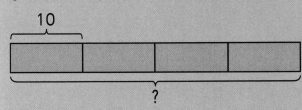

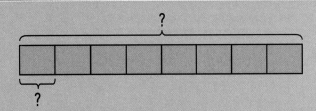

$40 \div 8 = 5$

Cada niño recibió 5 lápices.

$4 \times 10 = 40$

Tiene 40 lápices.

# Repaso/Prueba del capítulo

## Vocabulario

### Elige la respuesta correcta.

**1** Al ▢▢▢ 5 por 2, se obtiene un producto de 10.

**2** Un número multiplicado por dos es igual a ▢▢▢ ese número
o al ▢▢▢ de ese número.

> dividir
> dos veces
> multiplicar
> doble

## Conceptos y destrezas

### Empareja cada modelo con un problema. Luego, resuelve el problema.

**3**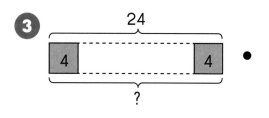

• • Lynn tiene 4 veces la cantidad de tarjetas de colección que tiene Linda. Linda tiene 4 tarjetas de colección. ¿Cuántas tarjetas de colección tienen en total? **A**

**4**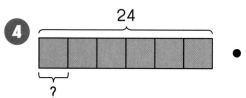

• • Linda reparte 24 tarjetas de colección equitativamente entre 4 niñas. ¿Cuántas tarjetas de colección recibió cada niña? **B**

**5**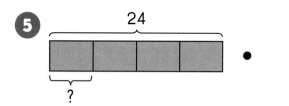

• • Linda tiene 6 mazos de tarjetas de colección. Hay 8 tarjetas en cada mazo. ¿Cuántas tarjetas tiene en total? **C**

**6**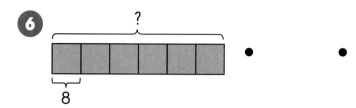

• • Linda tiene 24 tarjetas de colección. Las reparte equitativamente entre 6 mazos. ¿Cuántas tarjetas tiene cada mazo? **D**

**7**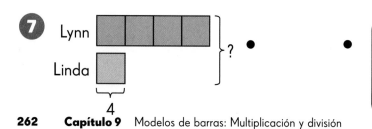

• • Lynn tiene 24 tarjetas de colección. Le entrega 4 tarjetas a cada niña de un grupo de niñas. ¿Cuántas niñas hay? **E**

## Resolución de problemas.
## Resuelve.

**8** Andrea tiene 6 floreros.
Coloca 3 rosas y 4 lirios en cada florero.
¿Cuántas flores hay en total?

**9** Un carpintero ordena 84 puertas.
Ordena 3 veces más puertas rojas que
puertas azules.
¿Cuántas puertas azules ordenó?

**10** Tim tiene 8 pedazos de madera.
Corta cada pedazo en 5 pedazos más pequeños.
Luego, los acomoda equitativamente en 4 atados.
¿Cuántos pedazos de madera tiene cada atado?

**11** Hay 51 niños en una fiesta.
Un payaso trae algunos globos a la fiesta.
Se revientan 15 globos cuando intenta inflarlos.
¿Cuántos globos trajo si cada niño recibió 3 globos?

# Glosario

## C

- **cociente**

  El cociente es el resultado de una división.
  8 ÷ 2 = 4
  El cociente es 4.

- **conteo salteado**

  2 saltos de 3 representan 2 grupos de 3.

## D

- **diez mil**

  1 más que 9,999 es igual a 10,000.

- **diferencia**

  La diferencia es el resultado de una resta.
  1,047 − 23 = 1,024,
  1,024 es la diferencia entre 1,047 y 23.

- **dígito**

  Un número está formado por dígitos.
  En el número 1,479, los dígitos son 1, 4, 7 y 9.

- **dígito principal**

  El dígito principal de un número es el dígito con el valor posicional mayor. El dígito principal de **2**,475 es **2**.

- **división**

  Una división es una operación que consiste en formar grupos iguales. Se usa para hallar el número de grupos o el número de elementos en cada grupo.

- **doble**

  2 veces

- **dos veces**

  Un número multiplicado por 2.

# E

- **el mayor**

  Usa *el mayor* cuando comparas más de dos números.

  2,000 es el número mayor.

- **el menor**

  Usa *el menor* cuando comparas más de dos números.

  2 es el número menor.

- **en palabras**

  Dos mil cuatrocientos setenta y ocho es 2,478 en palabras.

- **estimación**

  Una estimación es un número que está cerca del número exacto.
  396 es 400 cuando se lo redondea hasta la centena más cercana.
  400 es una estimación.

- **estimación por la izquierda**

  La estimación por la izquierda usa los dígitos principales para estimar sumas y diferencias.

#  F

- **forma desarrollada**

  La forma desarrollada de un número muestra el valor de cada uno de los dígitos que lo forman.
  2,000 + 400 + 70 + 5 es la forma desarrollada de 2,475.

- **forma normal**

  2,478 es la forma normal de 2,478.

#  G

- **grupos iguales**

  Estos son grupos iguales.
  Los dos tienen el mismo número de elementos.

# M ——————

- ## matriz de multiplicación

  Una disposición en hileras y columnas.

  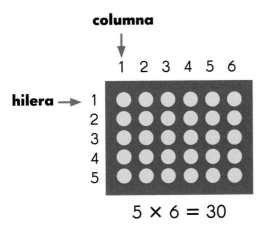

  $$5 \times 6 = 30$$

- ## mayor que (>)

  Usa *mayor que* cuando comparas dos números.

  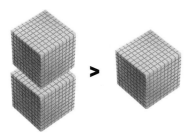

  2,000 > 1,000
  2,000 es mayor que 1,000.

- ## menor que (<)

  Usa *menor que* cuando comparas dos números.

  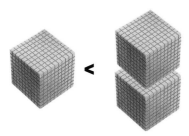

  1,000 < 2,000
  1,000 es menor que 2,000.

- **modelo de área de multiplicación**

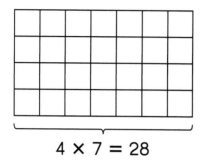

$$4 \times 7 = 28$$

- **modelo de barras**

  Un modelo de barras ayuda a resolver problemas. Se dibujan las barras, se rotulan con toda la información relevante y se dividen según la situación del problema.

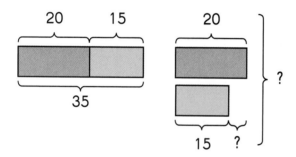

- **multiplicación**

  Es una operación de suma repetida. Se puede representar usando modelos de área, matrices y rectas numéricas.

# N

- **número impar**

  Cualquier número que tiene el dígito 1, 3, 5, 7 ó 9 en el lugar de las unidades es un número impar. 11, 203 y 1,245 son números impares.

- **número par**

  Cualquier número que tiene el dígito 0, 2, 4, 6 u 8 en el lugar de las unidades es un número par. 12, 354 y 7,956 son números pares.

# P

- **papel punteado**

  Un papel punteado muestra un conjunto de puntos ordenados en hileras y columnas iguales. Es un ejemplo de matriz.

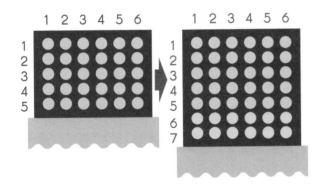

- **producto**

  El producto es el resultado de una multiplicación.

  5 × 7 = 35

  35 es el producto de 5 y 7.

- **propiedad asociativa de la multiplicación**

  Si se cambia la manera en la que se agrupan y multiplican los números en un enunciado de multiplicación, el resultado no se altera.

  **3** × **2** × 5 = **6** × 5
  $\qquad\qquad$ = 30
  3 × **2** × **5** = 3 × **10**
  $\qquad\qquad$ = 30

- **propiedad conmutativa de la multiplicación**

  Si se cambia el orden de los números en un enunciado de multiplicación, el resultado no se altera.

  $10 \times 2 = 20$

  $2 \times 10 = 20$

- **propiedad de multiplicación del cero**

  Cualquier número multiplicado por 0 es igual a 0.

  $3 \times 0 = 0 \qquad 7 \times 0 = 0$

- **propiedad de multiplicación del uno**

  Cualquier número multiplicado por 1 es igual a ese número.

  $2 \times 1 = 2 \qquad 7 \times 1 = 7$

# R

- **razonable**

  $1{,}245 + 2{,}534 = 3{,}779$

  1,245 redondeado hasta el millar más cercano es 1,000.

  2,534 redondeado hasta el millar más cercano es 3,000.

  La suma estimada es 4,000.

  3,779 está cerca de 4,000. Entonces, el resultado es razonable.

- **reagrupar**

  Cambiar:

  10 unidades por 1 decena o 1 decena por 10 unidades;

  10 decenas por 1 centena o 1 centena por 10 decenas;

  10 centenas por 1 millar o 1 millar por 10 centenas.

- **recta numérica**

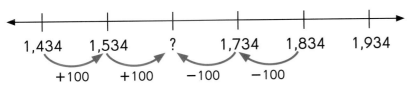

1,734  1,834  1,934  2,034

- **redondeado**

Término que se usa cuando estimamos números hasta la decena o centena más cercana.

2,476 es 2,480 redondeado hasta la decena más cercana.

2,436 es 2,400 redondeado hasta la centena más cercana.

2,456 es 2,500 redondeado hasta la centena más cercana.

- **regla**

1,434   1,534   ?   1,734   1,834   1,934

+100   +100   −100   −100

Para hallar el número que falta en un patrón numérico, la regla es sumar 100 al número anterior o restar 100 del número posterior.

- **residuo**

El residuo es el número que queda de una división.

$11 \div 2 = 5 R 1$

Cuando 11 se divide entre 2, el residuo es 1.

# S

- ## suma

  La suma o total es el resultado de una suma.
  123 + 45 = 168
  168 es la suma de 123 y 45.

# T

- ## tabla de valor posicional

| Millares | Centenas | Decenas | Unidades |
|----------|----------|---------|----------|
| 8 | 7 | 6 | 9 |

- ## tiras de valor posicional

2, 0 0 0
4 0 0
7 0
5

# V

- **valor**

  En 2,475,
  el valor del dígito 2 es igual a 2,000,
  el valor del dígito 4 es igual a 400,
  el valor del dígito 7 es igual a 70,
  el valor del dígito 5 es igual a 5.

- **valor posicional**

  El valor de un dígito en un número.
  En 8,769, el dígito 8 está en el lugar de los millares.

# Índice

**D**

Las páginas en fuente normal pertenecen al Libro del estudiante A.
Las páginas en fuente azul pertenecen al Libro del estudiante B.
Las páginas en *itálicas* pertenecen al Cuaderno de actividades (CA) A.
Las páginas en *itálicas y fuente azul* pertenecen al Cuaderno de
actividades (CA) B.
Las páginas en **negrita** indican dónde se presenta un término.

Las páginas en fuente normal pertenecen al Libro del estudiante A.
Las páginas en fuente azul pertenecen al Libro del estudiante B.
Las páginas en *itálicas* pertenecen al Cuaderno de actividades (CA) A.
Las páginas en *itálicas y fuente azul* pertenecen al Cuaderno de actividades (CA) B.
Las páginas en **negrita** indican dónde se presenta un término.

Las páginas en fuente normal pertenecen al Libro del estudiante A.
Las páginas en fuente azul pertenecen al Libro del estudiante B.
Las páginas en *itálicas* pertenecen al Cuaderno de actividades (CA) A.
Las páginas en *itálicas y fuente azul* pertenecen al Cuaderno de actividades (CA) B.
Las páginas en **negrita** indican dónde se presenta un término.

# Photo Credits

*1tl*: ©Photolibrary. All right reserved.
*5br*: ©Stockbyte, *5bl*: ©Stockbyte, *7*: ©Jupiter Images, *12*: ©Stockbyte, *13*: ©iStockphoto.com/ Sean Locke, *17t*: ©iStockphoto.com/Quavondo Nguyen, *17b*: ©iStockphoto.com, *20*: ©Stockbyte, *30*: ©Image Source, *37*: ©iStockphoto.com, *42*: ©iStockphoto.com/Bob Thomas, *46*: ©Stockbyte, *49*: ©iStockphoto.com/Jacek Chabraszewski, *50t*: ©Stockbyte, *50b*: ©Image Source, *55*: ©Image Source, *55b*: ©Stockbyte, *58t*: ©Stockbyte, *58t*: ©Image Source, *59t*: ©iStockphoto.com/Sean Locke, *59m*: ©Jupiter Images, *59b*: ©Image Source, *60*: ©Image Source, *61*: ©iStockphoto. com/Drew Meredith, *62*: ©Stockbyte, *65b*: ©Image Source, *65t*: ©iStockphoto.com/Sean Locke, *66t*: ©Stockbyte, *66m*: ©iStockphoto.com, *89*: ©iStockphoto.com/Drew Meredith, *95*: ©Stockbyte, *99*: ©Image Source, *101*: ©iStockphoto.com/ Reuben Schulz, *102*: ©iStockphoto.com/Bob Thomas, *103*: ©iStockphoto.com/Jani Bryson, *104*: ©Image Source, *106*: ©Stockbyte, *108t*: ©Stockbyte, *108b*: ©Image Source, *109*: ©Jupiter Images, *110*: ©iStockphoto.com/Reuben Schulz, *111*: ©Image Source, *122*: ©iStockphoto.com/Drew Meredith, *123*: ©iStockphoto.com/Jaroslaw Wojcik, *124t*: ©iStockphoto.com/Sean Locke,*124m*: ©Stockbyte, *124b*: ©Jupiter Images, *125tl*: ©Image Source, *125tr*: ©iStockphoto.com/Annett Vauteck,*125ml*: ©Image Source, *125mr*: ©iStockphoto.com/Annett Vauteck, *125bl*: ©Image Source, *125br*: ©iStockphoto.com/ Annett Vauteck, *138m*: ©iStockphoto.com/Annett Vauteck, *138b*: ©iStockphoto.com/Oscar Gutierrez, *142*: ©iStockphoto.com/Jani Bryson, *144*: ©Image Source, *151m*: ©iStockphoto.com/Drew Meredith, *151b*: ©Stockbyte, *153*: ©Image Source, *154*: ©iStockphoto.com/Jacek Chabraszewski, *158m*: ©iStockphoto.com/Jaroslaw Wojcik, *158b*: ©Jupiter Images, *160*: ©Image Source, *163m*: ©iStockphoto. com/Nina Shannon, *163b*: ©iStockphoto.com/ Annett Vauteck, *165*: ©Image Source, *168m*: ©Stockbyte, *168b*: ©iStockphoto.com/Bob Thomas, *170t*: ©iStockphoto.com/Sean Locke, *170b*: ©Image Source, *176*: ©Image Source, *173*: ©iStockphoto. com/Jani Bryson, *177*: ©Stockbyte, *178*: ©Stockbyte, *179*: ©iStockphoto.com/Sean Locke, *181*: ©Image Source, *187mr*: ©iStockphoto.com/Jani Bryson, *187ml*: ©iStockphoto.com/Annett Vauteck, *192t*: ©Stockbyte, *191*: ©iStockphoto.com/Nina Shannon, *192b*: ©iStockphoto.com, *193*: ©Image Source, *198t*: ©iStockphoto.com/Pathathai Chungyam, *198m*: ©iStockphoto.com/Jani Bryson, *210*: ©Jupiter Images, *216t*: ©Stockbyte, *216m*: ©iStockphoto. com/Drew Meredith, *216b*: ©Stockbyte, *217t*: ©iStockphoto.com/Pathathai Chungyam, *217b*: ©iStockphoto.com/Quavondo Nguyen, *219t*: ©iStockphoto.com, *219b*: ©iStockphoto.com/ Reuben Schulz, *220m*: ©Image Source, *220b*: ©iStockphoto.com/Annett Vauteck, *221*: ©iStockphoto.com/Jacek Chabraszewski, *225t*: ©Image Source, *225b*: ©Jupiter Images, *223*: ©iStockphoto.com/Sean Locke, *233*: ©iStockphoto. com/Reuben Schulz, *244*: ©iStockphoto.com/ Reuben Schulz, *245*: ©Image Source, *246*: ©iStockphoto.com, *247*: ©Stockbyte, *255*: ©iStockphoto.com/Reuben Schulz, *259*: ©Jupiter Images

PÁGINA EN BLANCO